PRINC

RAZAS

CABALLOS

PRINCIPALES
RAZAS

CABALLOS

ALAN RUSELL

Ilustraciones: Joaquin Chacopino Fabré
Archivo Editorial

Industria, s/n.- Pol.Industrial Sur
Tel. 93 841 03 51• Telefax 93 841 23 34
08450 Llinars del Vallés (Barcelona)
E-MAIL: iberlibro@iberlibroediciones.com
Imprime: Gráficas 94, S.L.
S.Quirze del Vallés (Barcelona)
Printed in Spain – Impreso en España
Depósito Legal: B.19.988-2004

La noble estampa del caballo siempre ha suscitado en el ser humano sentimientos de admiración. Así se ha reflejado en representaciones artísticas de todos los tiempos; en el mundo de la pintura, ya desde las cavernas prehistóricas, en la escultura, como encontramos en el arte griego y romano, en la literatura: ¿quién no recuerda el importante papel asignado al caballo en los relatos históricos más antiguos, o en las leyendas medievales o en la novelística clásica, al lado de sus principales protagonistas como Julio César, Alejandro Magno, Ricardo Corazón de León, el Cid Campeador, Don Quijote de la Mancha,...? En la época actual la presencia del caballo en el arte ha llegado hasta sus nuevas manifestaciones como son la fotografía y el cine.
Todo ello es la expresión de los vínculos que desde siempre han unido el hombre y el caballo. En las épocas ancestrales, cuando ambos seres se debatían ante un universo hostil,

el caballo le proporcionaba al hombre alimento y vestido. Más adelante, sin renunciar a aquella función, fue más notoria su relación para el trabajo y para la guerra. De ahí que la conformación de los diversos tipos de caballo, llamados razas se producía tanto por su procedencia como por el destino que e hombre les fue marcando.

Hasta principios del siglo XX el caballo s usaba en forma prioritaria para la carga y para la agricultura. Pero incluso en el trabaj del transporte, su evolución promovida por l transformación de los caminos en carretera y por el progreso en el arte de los carruaje también influyó en la variación del tipo d caballos que se precisaba.

Ello adquiere todavía mayor perspectiva a referirnos a lo que podríamos llamar la flor nata de las razas de caballos. Se trata de las qu en nuestros días participan en el mundo de espectáculo y en el mundo del deporte, qu

uchas veces vienen a coincidir en el mismo
vento. En efecto, ¿qué mayor espectáculo que
s competiciones hípicas de salto, doma y
oncurso completo, cuando tienen lugar unos
uegos Olímpicos, por ejemplo? La configura-
ón apropiada de todas las estructuras de
ada caballo es la clave del éxito en estas
ompeticiones.

or lo contrario, para los pacíficos paseos o
xcursiones, a veces no exentas de dificulta-
es ni emociones, que también constituyen
ctualmente uno de los destinos mayoritarios
el caballo, se necesita otro tipo de morfolo-
ía del mismo.

sí pues, la historia del caballo corre
aralela con la evolución de sus razas
por esta razón, una guía ilus-
rada y detalla-
a de las mis-
nas, como la
ue presenta-
nos, nos abri-
á todos los se-
retos del mun-
o del caballo.

AKHAL-TEKE

Esta raza apareció hace más de tres mil años, en los oasis de Karakum, y al cabo de los siglos ha dado nacimiento a otras muchas razas, aunque por su parte jamás se ha dejado influir por ninguna otra. Por consiguiente, es un verdadero caballo del desierto, que los jinetes de Turkmenia utilizan en las carreras y otras competiciones deportivas por sus innegables condiciones de vigor y resistencia. Los rusos, pues, gustan de esta raza, cuyo rasgo principal es su magnífico pelaje con sus rayas plateadas, reminiscencia de una clase de galgo.
El Akhal-Teké es, en realidad, un caballo de carreras, y por esto es muy apreciado en el mundo entero. Este tipo tiene un pelaje

uy fino, siendo también la piel sumamente delgada. ꞏsto hace de él un ejemplar muy elegante, señorial. La ꞏla es larga y de pelos sedosos, lo que añade gran vi-ꞏalidad a su estampa.

ꞏstos caballos pueden ser de capa alazán, negra o tor-ꞏ, aunque principalmente son de un matiz overo, es ꞏcir, de color más bien castaño con pelos blancos dispersos por todo el pelaje, que brilla a la luz del sol con reflejos metálicos de gran espectacularidad.

Las extremidades posteriores son largas y muestran gran potencia en los corvejones.

A pesar de su aspecto delicado, resisten a las más duras condiciones climáticas.

ANGLO-ARABE

Este caballo, que está más emparentado con el Pura Sangre que con el Árabe, posee unas condiciones excelentes para el galope y el salto de obstáculos, lo que le convierte en un magnífico caballo de carreras y concursos de saltos. Hacia 1820, fue cruzado un caballo de pura sangre árabe con una yegua de pura sangre inglesa. Por consiguiente, esta raza es de origen inglés. En Francia empezaron la cría del Anglo-Árabe hacia 1836, basándose en dos sementales árabes y tres yeguas Pura Sangre, por lo que hoy día esta raza es orgullo de los franceses.
Los caballos anglo-árabes suelen mostrar un tamaño casi fuera de lo normal, y ello es así porque se cree, y la práctica lo afirma,

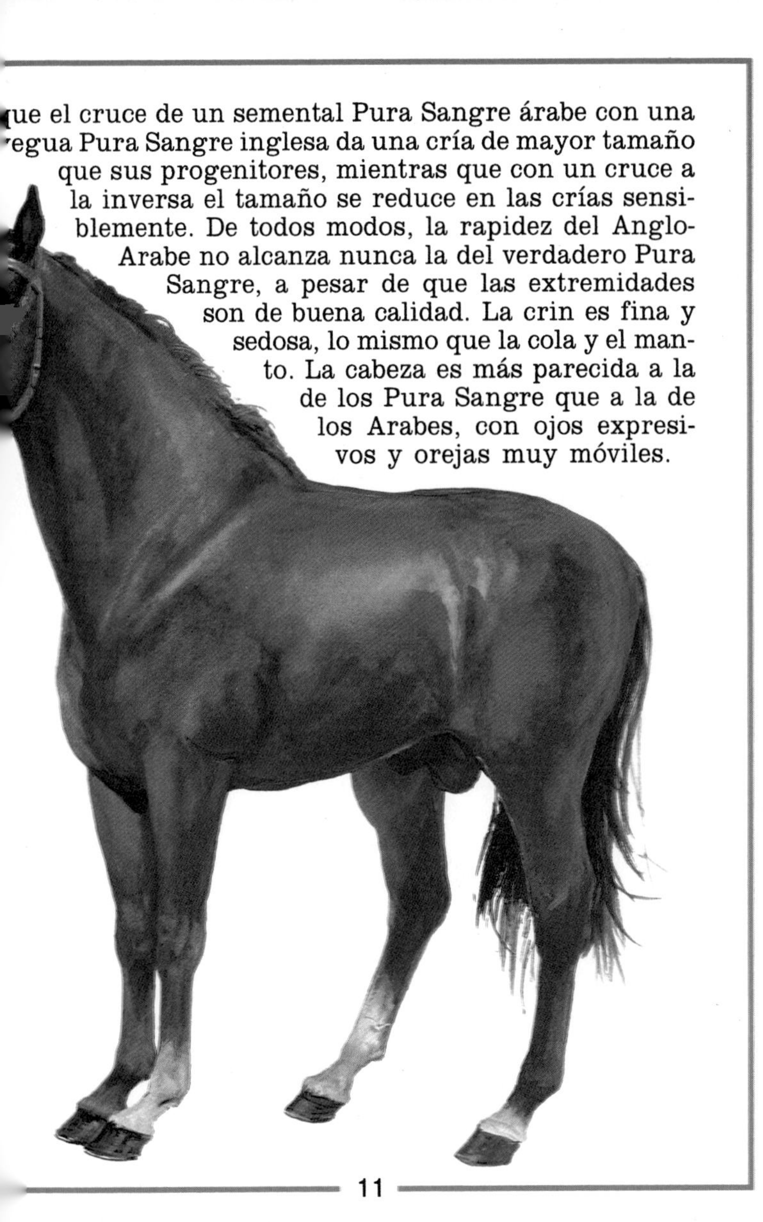

que el cruce de un semental Pura Sangre árabe con una yegua Pura Sangre inglesa da una cría de mayor tamaño que sus progenitores, mientras que con un cruce a la inversa el tamaño se reduce en las crías sensiblemente. De todos modos, la rapidez del Anglo-Arabe no alcanza nunca la del verdadero Pura Sangre, a pesar de que las extremidades son de buena calidad. La crin es fina y sedosa, lo mismo que la cola y el manto. La cabeza es más parecida a la de los Pura Sangre que a la de los Arabes, con ojos expresivos y orejas muy móviles.

APPALOOSA

El caballo Appaloosa es exclusivamente la versión norteamericana del carbonado, y en Estados Unidos se le reconoce y considera como una raza aparte y oficial. Sin embargo, el gen responsable de las manchas en el pelaje de estos animales, y de otras razas también carbonadas, es tan antiguo como pueda serlo la misma raza equina, y hay que tener en cuenta que ésta se remonta a la época del hombre de Cro-Magnon, o sea unos veinte mil años atrás, aunque se sospecha que los caballos ya existían en tiempos más pretéritos todavía.
En estos caballos existen 5 modelos de capa: nevado o manchas blancas sobre fon-

do oscuro por todo el cuerpo; lavado, con una mancha grande en lomo y grupa; leopardo, blanco con manchas oscuras de forma ovalada; mármol, que está todo el cuerpo moteado o muy manchado; y escarchado, que ostenta unas manchas diminutas, de color blanco, sobre fondo muy oscuro.

La cola del Appaloosa es corta y estrecha, con pocos pelos, lo mismo que la crin, también corta y más bien rala.

El cuello es ancho y grueso, demostrando una gran potencia.

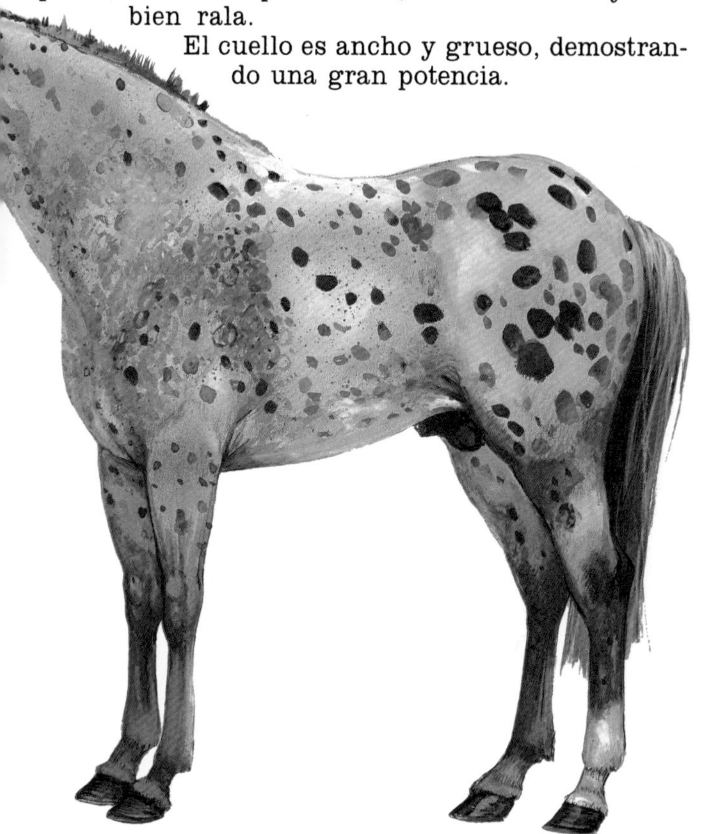

ARABE

Esta raza es una de las más antiguas entre las equinas remontándose a la yegua Baz y al semental Hoshaba habiendo sido capturada la primera en Yemen por Baz tataranieto de Noé, el cual era en aquellos tiempos, uno 3.000 años a.C., domador de caballos salvajes. Estos ejemplares presentan una constitución del esqueleto única, puesto que poseen 17 costillas, 5 huesos lumbares y 16 vértebras caudales, cosa insólita en relación con las demás razas de caballos.

El caballo Arabe ha influido poderosamente en casi todos los equinos de la Tierra, siendo considerado con toda razón el verdadero origen de los Pura Sangre. Se trata de un caballo sumamente resistente, cuya cabeza no tiene semejanza alguna con la de las demás razas, pues sus ollares son muy grandes, y las orejas más bien son pequeñas. Por su parte, la crin y la cola poseen la suavidad de la seda. Uno de los detalles más curiosos de esta raza es el «ahogadero», término que se aplica al ángulo existente entre la cabeza y el cuello, que le permite girar la cabeza en todos los sentidos. Las conquistas que inició Mahoma contribuyeron a la propagación de esta raza en España y toda Europa.

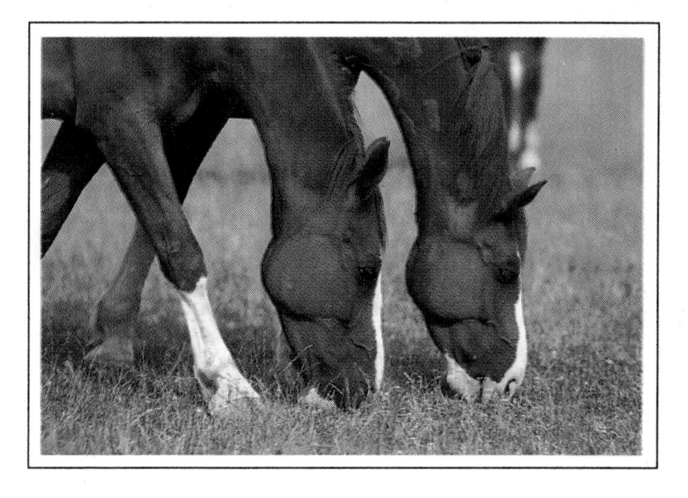

ARDENES

El Ardenés es un caballo muy popular en la región de Lorena. Es pesado, y todavía se le denomina en Francia «caballo de tiro del Norte», a pesar de que apenas queda el menor rastro de los activos animales de posta de las Árdenas, que en tiempos de Napoleón, por ejemplo, servían para ser enganchados a los carruajes que viajaban por los azarosos caminos de la época, como «caballos de refresco».

De todos modos, los actuales Ardeneses siguen siendo unos ágiles animales de tiro. Este caballo es sumamente rechoncho, es fuerte, resistente, voluntarioso y buen trabajador, siendo además de fácil manejo. El cuello es grueso y bastante largo, en tanto que la cabeza es de frente baja y casi aplastada, con una gran estructura ósea muy grande, revestida de una alta potencia muscular. Los pies son pequeños, y las extremidades son más bien cortas, pero extremadamente fuertes. Su temperamento es muy apacible, pero muy resistente, seguramente por ser su lugar de nacimiento un territorio de clima inhóspito. Aunque estos caballos se utilizan principalmente como animales de tiro, su carne es muy apreciada en los puestos de venta caballar.

BASHKIR

Este caballo es muy útil a quienes los crían, puesto que no sólo produce carne y leche en abundancia, sino que el pelaje puede ser hilado para fabricar tejidos de diversas clases. Es un animal de gran resistencia, especialmente con temperaturas bajas, siendo capaz de desenterrar su forraje bajo más de un metro de nieve de espesor. Y sería fácil para un par de Bashkir arrastrar un trineo regularmente cargado durante unos 120 kilómetros aproximadamente, todo un día entero sin recibir alimento de ninguna clase.
Este caballo, en Rusia, su país de origen, se utiliza como bestia de carga, tiro y silla, y aporta grandes cantidades de leche, (las yeguas tienen un período lactante de 7 a 8

ıeses), carne y telas. Este caballo puede soportar tem-
eraturas muy bajas, hasta 65 °C bajo cero. Esta raza,
egún la leyenda, llegó a América atravesando el ist-
ıo que hoy es el estrecho de Bering. Una de las ca-
acterísticas más notables del Bashkir es su pelaje,
omo un manto de pelo rizado muy espeso, que le ayuda
resistir los fríos invernales. El color de tal pelaje es
principalmente alazán tostado y castaño claro. La
cabeza es grande, unida a un cuello corto y car-
noso. En conjunto, el Bashkir es un caballo pequeño, de cuerpo ancho y un dorso plano y recto. Sus extremidades
son relativamente cortas.

BELGA DE TIRO

Esta es una de las razas más importantes del mundo, conocido también como «caballo de Brabante», donde consigue desde antiguo sus mejores crías. Mediante una escrupulosa selección se han obtenido ejemplares magníficos, con exclusión de sangre extranjera, y una ocasional consanguinidad. Esta raza puede descender de la raza todavía más remota oriunda de las Ardenas, Francia, o sea de una de las razas llamadas Diluviales e incluso Antidiluviales. Sea como sea, el Belga de Tiro continúa siendo hoy día un caballo sumamente apreciado por su vigor y resistencia.

ste caballo posee un cuerpo grueso, no muy largo pero í poderoso, que junto con una espalda bien proporcio- ada y fuerte, le convierte en un excelente animal de ro y arrastre. Esta raza muestra una gran potencia, estacando por su dureza y resistencia de sus más bien ortas extremidades.

En cambio, la cabeza es pequeña en comparación con el resto del cuerpo, siendo algo tosca y cuadrada de forma, pero en la que los ojos son amables e inteligentes. Es más popular en Norteamérica que en Bélgica, su país de origen.

BERBERISCO

Los caballos Berberiscos fueron los favoritos de los musulmanes dedicados a la conquista de España y otros lugares de Europa, con el fin de propagar las enseñanzas de Mahoma. El hábitat natural de este caballo es Marruecos, en el Norte de África, y es allí donde, al correr de los siglos, el Berberisco fue tomando sus cualidades como caballo del desierto, insensible a su calor agobiante y a los ayunos debidos a las largas travesías que estos caballos se han visto siempre obligados a recorrer.
Este caballo tiene un cuerpo corto pero muy fuerte en su musculatura. El color

le la capa, en general, es tordo. Sus extremidades son delgadas, lo que sirve para aumentar su velocidad en el trote y el galope. Los pies suelen ser muy estrechos.

La cola, igual que la crin, es larga y espesa, siendo la pelambrera más bien áspera. Este caballo, aunque bien considerado, nunca lo ha sido tanto como el Árabe.

El Berberisco fue la montura preferida por los guerreros moros del siglo VII.

BOULONES

El gran Julio César, en sus escritos que narran la historia de sus gloriosas campañas de conquistas
para Roma, ya mencionaba esta raza de
caballos. Mucho más adelante, cuando
ya esta raza había sido mejorada
con sangre oriental, en el siglo
XIV continuaba considerándo-
se como caballo para la

guerra. Desde los albores del siglo XVII pasó a dedicarse a tareas más pacíficas, aunque no menos duras, destacando en el transporte del pescado y en las labores agrícolas.

El Boulonés posee una cabeza muy especial, con un perfil recto, órbitas salientes y frente plana y ancha. Las orejas son pequeñas, muy móviles, y siempre están erectas.

En la capa predomina el color tordo, con variados matices, en tanto que su pelaje es sedoso, lo mismo que la crin, fina y espesa.

El cuerpo es profundo y compacto, con un dorso ancho y recto, pecho ancho y costillares combados. En total, el aspecto de este caballo es excepcionalmente majestuoso, grato a la vista.

BRETON

Este caballo es activo y rápido, muy a propósito para las labores del campo. Esta raza existe ya desde la Edad Media, cuando los criadores de la región de Bretaña, Francia, emprendieron la tarea de dar forma a esta nueva raza, que tan buenos resultados dio, y sigue dando, desde entonces. El Bretón estuvo basado en su comienzos en el caballito primitivo de las Montañas Negras. Además de ser animal de granja, el Bretón tomaba parte a menudo en los festejos locales, donde se celebraban interesantes carreras.

Este caballo Bretón tiene una cabeza cuadrangular, con orejas muy móviles, peque-

ñas y situadas bastante abajo en los costados, estando normalmente enhiestas.

Hay caballos de color alazán y otros ruanos, con matiz canela.

El cuello es arqueado, corto y grueso, demostrando la gran potencia del animal. La cola siempre la cortan tradicionalmente, siendo ésta la característica que mejor distingue a esta raza.

En conjunto, este caballo sirve para las labores agrícolas, por su rapidez y actividad.

BUDYONNY

En Rusia, hacia los años 20, se inició un movimiento destinado a la creación de nuevas razas, mediante la experimentación de unos cruces muy complicados, a causa sobre todo de la ardua selección de yeguas y sementales que aquellos criadores tuvieron que llevar a cabo. El caballo Budyonny es, no obstante, la demostración de que tales esfuerzos obtuvieron un gran éxito. En efecto, el Budyonny es un animal muy resistente, hoy transformado en caballo de

carreras por sus cualidades de velocidad y firmeza en el trote y el galope.
La cabeza y el cuello están bien proporcionados, con un perfil recto aunque a veces levemente cóncavo.
La piel es descarnada en la cabeza, transparentándose claramente la venosidad, particularmente en la cabeza.
Las extremidades son finas y delicadas.
Casi todos estos caballos son alazanes, a veces con reflejos dorados en el pelaje, aunque los hay negros, bayos y castaños.
Es un caballo resistente, con más potencia de la que muestra su hermosa estampa.
Esta raza procede del cruce de yeguas Chernomor y Don con sementales Pura Sangre, con un resultado excelente en vistosidad y belleza.

CABALLO AUSTRALIANO

Los criadores australianos siempre han demostrado una gran habilidad para crear caballos de silla, no sólo capaces de resistir las duras condiciones de trabajo impuestas por el clima y las asperezas del terreno donde desarrollan sus actividades, sino que además son adecuados para llevar a cabo las tareas a desarrollar en las inmensas fincas de aquel país. Los australianos siempre han sido, por consiguiente, anima-

les duros, fuertes, dotados de gran resistencia, y también de una calidad poco frecuente en caballos de su tipo.
Es un caballo bien equilibrado, tanto al paso como en la carrera, y posee un hombro y un cuello bien proporcionados.
La cabeza es semejante a la del Pura Sangre, si bien puede ser, ocasionalmente, más gruesa y cuadrada. El pecho es profundo, lo que junto con los hombros bien inclinados lo hacen útil para labores muy diversas. Este caballo Australiano es, en general, bayo de color, aunque puede ser asimismo negro, y muy pocas veces tordo... Es animal de gran resistencia, aunque su velocidad sea muy inferior a la del Pura Sangre.

CAMARGO

Estos caballos muestran en todo momento una gran influencia árabe, siendo su hábitat preferido la cuenca del río Ródano, en Francia. En realidad, estos caballos son muy parecidos a los de las pinturas rupestres de la cueva de Lascaux, en el Sur de Francia, pinturas que se remontan al menos a quince mil años atrás. Es muy posible, asimismo, que los fósiles de caballos prehistó-

ricos hallados en Solutré, pertenezcan a los antecesores de esta raza, oriunda de la región de la Camargue.

El Camargo posee una cabeza que se adorna con una cabezada de crin muy peculiar, de pelos largos y sedosos, lo mismo que la cola, espesa y abundante.

Su cuerpo es muy profundo en la cinchera (o parte más inferior del vientre, junto al codo), lo que puede compensar algunas deficiencias. Los lomos y el dorso son tremendamente fuertes.

El Camargo se desarrolla con gran lentitud, no pudiendo ser considerado adulto hasta los 6 años de edad aproximadamente. El color de este caballo es un blanco reluciente, lo que realza la vistosidad de su estampa.

COB

Los caballos de la raza Cob son rechonchos, corpulento
y plantados con firmeza sobre sus robustas patas. S
trata, por tanto, de unos caballos de aspecto inconfundi
ble, destinados al transporte de cargas muy pesadas, recorriendo largas distancias sin cansarse ni protestar en absoluto. Son animales dóciles, acostumbrados al duro trabajo, aunque a veces pueden servir también para el galope, si bien no es ésta la mejor

de sus múltiples cualidades. En conjunto, no obstante, el Cob es un animal de acción bastante baja.
El Cob es un caballo fiable, firme y equilibrado, siendo la montura ideal para jinetes de bastante peso, no excesivamente jóvenes por lo general. El caballo Cob, en realidad, posee mucha inteligencia y una viva personalidad.
Casi todos los Cobs son tordos, aunque también abundan los bayos y los carbonados.
Su cabeza es delicada, nada pesada, con ojos vivarachos e inteligentes, con orejas muy móviles, siempre erguidas.
Los pies son anchos y abiertos, y su tamaño se corresponde con el del cuerpo, en general.
En conjunto, la estampa de este caballo hace que sea un auténtico adorno para su dueño.

COB NORMANDO

Desde tiempos muy remotos, la región de Normandí
en el Norte de Francia, se ha dedicado a la cría de cab
llos, y entre las razas más distinguidas y populares a
obtenidas por los avispados criadores normandos, se cuenta esta raza del Cob Normando, utilizado tradicionalmente como animal de labranza, y como medio de transporporte de los productos agrícolas desde su lugar de cosecha hasta los diferentes mercados y centros de distribución. Se trata, por

tanto, de unos animales de arrastre dotados de una gran resistencia física.
Este caballo tiene gran robustez general, y su estampa habla claramente de fuerza y poder. Pese a lo cual no es un caballo pesado, puesto que no tiene una estructura masiva ni las proporciones adecuadas a este tipo de animales, aunque sí demuestra más actividad y energía que la mayoría de razas y tipos. El cuello, grueso y más bien corto, está adornado por una crin espesa de pelo algo áspero. La cola, empezó a cortarse a principios del siglo XX, lo que todavía se practica en Francia, mientras es ilegal en Inglaterra. Los colores tradicionales del Cob Normando son el bayo, el alazán y el bayo-castaño, dándose muy raramente otros colores o matices. El cuerpo es compacto y las extremidades son cortas pero musculosas.

CONNEMARA

Los ponis Connemara son animales para las competiciones deportivas. Por eso desde Irlanda se han exporta-
do a Europa en grandes cantidades. En Alemania, par
que puedan tomar parte en competiciones, han de
pasar varias pruebas de comportamiento. Son caballos fuertes que pueden vivir en regiones donde otros ponis salvajes morirían sin reme-
dio. Existe una Sociedad de Criadores
de ponis Connemara,

fundada en 1923. El primer poni registrado fue Cannon Bull, que ganó la Carrera de Granjeros de Oughterard 16 años consecutivos. Es éste el poni más inteligente de todos los que existen. Es un caballo rápido, leal, valiente y sensible, además de ser un saltarín nato. Su cabeza es pequeña, elegante y a pesar de las numerosas razas que influyeron en su procedencia, hoy día el Connemara es un poni de tipo fijo. Uno de sus rasgos distintivos es su frente muy bien proporcionada. Sus espaldas, adecuadas para la silla, le otorgan una gran disposición para el salto. El Connemara posee unos pies excelentes y su paso es altamente seguro. El color de su pelaje puede ser castaño, negro, bayo, lobero o alazán.

DALES

Este caballo ofrece una vista de conjunto reveladora de una gran fuerza encerrada en una figura muy compacta. El Dalés fue cruzado en repetidas ocasiones con los Clylesdale, por lo que numerosos ejemplares poseen tres cuartas partes de Clylesdale por una de Dalés. Estos ponis daleses fueron, hace algunos años, el

animal ideal, por su poder y su musculatura, para explotar las minas de plomo de Alston Moore y Allendale. Es un caballo resistente a casi todas las enfermedades que suelen afligir a las demás razas equinas del mundo entero. Los Daleses actuales conservan su magnífico esqueleto y sus formidables extremidades, lo mismo que la dureza de sus espléndidos cascos azulíneos. Su fuerza es extraordinaria y posee una gran resistencia para la carga, sin que recaiga su resistencia a lo largo de grandes recorridos. Tiene unos ojos inteligentes y amables, y las orejas están casi siempre erguidas, alerta. Este caballo suele tener negro el pelaje, aunque accidentalmente puede ser bayo o castaño. El hocico es fino y fuerte. Este caballo está dotado especialmente, a causa de sus condiciones, para el trote, en lo que destaca por encima de los demás ponis.

DARTMOOR

Este caballo inglés es oriundo de los páramos de la región de Dartmoor, célebre además por la penitenciaría que allí se hallaba instalada. Estos caballos, aunque parezca imposible, debido a las malas condiciones climáticas de aquel territorio, son animales de excelente calidad, con un magnífico temperamento. El poni Dartmoor, por su parte, es una montura ideal para los niños, siendo, por tanto, una de las diversiones predilectas de los pequeños en los jardines de muchos países del mundo entero.
El Dartmoor fue una raza muy solicitada en la región que le da nombre, tanto por su resistencia como por la firmeza de su

peso, dotado, por tanto, para recorrer las asperezas agrestes del paisaje.

Su cuello es fuerte, si bien su longitud es la de un poni de silla. La cabeza es pequeña, de calidad, con orejas pequeñas, erectas casi siempre. El temperamento de este caballo es excelente, siendo por consiguiente un poni apropiado para los niños en parques de atracciones y otros lugares de diversión para la grey infantil.

Estos caballos suelen ser bayos, castaños o negros. Cabe añadir que el Dartmoor es resistente y de constitución muy sólida.

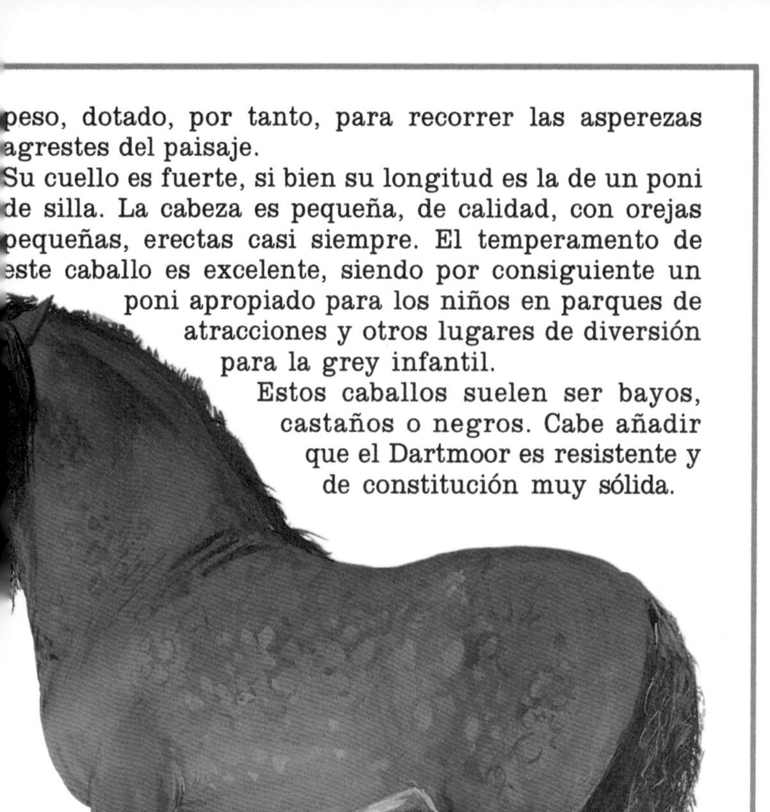

DON

Naturalmente, este nombre evoca de inmediato a los célebres Cosacos del Don. El desarrollo de estos caballos, que en realidad fueron la montura preferida de dichos Cosacos, se remonta a los siglos XVIII y XIX, cuando los criadores rusos de esta región emprendieron la tarea de dar nacimiento a una raza de caballos destinados a las tareas bélicas y de otro orden también militar. Sin embargo, el verdadero origen de esta raza

hay que buscarlo en las estepas donde vivían las tribus nómadas mongoles.
La cabeza del Don es de perfil recto y tamaño mediano. La crin, de pelo más bien fino y sedoso, es larga pero no muy espesa. El cuerpo muestra una estructura más bien masiva, y su constitución es poderosa. Pecho bien desarrollado y costillares de piezas anchas y largas.
Tiene una grupa redondeada y los cuartos traseros tienen tendencia a inclinarse. La cola es de inserción baja.
Este caballo es de color bayo claro, con reflejos dorados, aunque también predominan los colores castaño y alazán.
Los Don obtuvieron justa fama cuando los cosacos montados sobre ellos rechazaron a las tropas de Napoleón, entre 1812 y 1814.

ESPAÑOL

Este caballo de puro origen ibérico, es la montura predilecta de ganaderos y rejoneadores del país, y también de Portugal, donde el arte del rejón es sumamente apreciado y valorado. En el desarrollo del Español ejerció una enorme influencia el caballo Árabe, y también el Berberisco, los cuales, junto con el Español, naturalmente ya más tarde, han in-

fluido poderosamente en la evolución de otras muchas razas equinas, entre las repartidas por todo el planeta. El Español es, en parte, producto de los cuidados de los monjes cartujos de Jerez de la Frontera.

La cabeza del Español o andaluz, es hermosa por la influencia del Berberisco, teniendo un perfil acarnerado, y su vista siempre es fascinante.

La crin y la cola son dos rasgos distintivos del Español, pues son largas y exuberantes, y a la vez delicadas, frecuentemente onduladas, lo que aumenta la belleza de la estampa.

Los cuartos traseros son fuertes y su gran flexión en las articulaciones posteriores lo convierten en un animal muy apropiado para figurar en los picaderos.

EXMOOR

La raza Exmoor es una de las más antiguas entre las inglesas de páramo y montaña, y también una de las más primitivas del mundo, con excepción, entre otras, del Tarpan. Su antepasado más directo fue el Poni I. La Exmoor Pony Society se ocupa de conservar la pureza y la calidad de esta raza británica, puesto que los caballos criados y desarrollados en los páramos de esta región de Exmoor suelen tener más clase y ser más inteligentes que otros criados en territorios tal vez más suaves de clima, pero menos aptos para el fortalecimiento de los ejemplares equinos. Este caballo es muy resistente y fuerte. En el siglo XIX se efectuaron diversos ensayos para mejorar la raza, pero todos

fracasaron. Después de 1815 se introdujo a esta raza cierta cantidad de sangre española mediante una especie de caballo «fantasma» que vagaba por aquellos páramos, al que llamaban los habitantes de la región, «Katerfelto». Era un caballo de pelo oscuro, con una raya de mulo muy pronunciada. Finalmente, logró ser capturado, aunque jamás se averiguó su verdadero origen. La cabeza es única en su clase. Hocico con manchas de sapo y ollares anchos; orejas gruesas, cortas y afiladas, frente ancha y ojos grandes y algo saltones. El cuello es grueso y corto. La silueta del Exmoor es simétrica y robusta.

FALABELLA

Estos caballos son animales en miniatura, de los que hay bastantes razas en el mundo, aunque no obstante, la más popular es la Falabella. Estos caballos, que en realidad no son ponis ni están clasificados como tales, poseen las mismas cualidades que los caballos normales. Esta raza es oriunda de Argentina, concretamente del rancho Recreo de Roca, próximo a la capital de la nación, Buenos Aires. Estos caballos pueden usarse para enganche, pero no son en absoluto útiles para la silla.
La cabeza del Falabella es semejante a la de los Shetland, que originaron la raza. En realidad, la cabeza está en proporción del

ꞏuerpo del animal, aunque a veces resulta excesiva-
nente grande en contraste con el resto del cuerpo. La
ꞏrin y la cola suelen ser abundantes, mientras que el
ꞏolor es bayo, negro, castaño y tordo.
ꞏor su parte, los corvejones suelen ser flojos y demasiado juntos entre sí.

El pelaje del Falabella es casi siempre largo y sedoso, aunque no es tan resistente como el del Shetland.

Esta raza enana ha pasado distintos procesos, siendo criados en Inglaterra y exportados a Estados Unidos.

FELL

Estos caballos han vivido y se han desarrollado en la punta septentrional de los páramos salvajes de Westmoreland y los Peninos británicos, habiendo estado destinados desde el principio a ser un poni de carga, a pesar de que es probable que estos animales, muy ligeros y buenos trotadores, fuesen utilizados con silla o con arnés para viajar por las escarpadas montañas del país de su evolución. Estos animales, a causa de su trote equilibrado y ligero, son idóneos para el tiro de los carruajes.
La cabeza del Fell es bastante alargada, con orejas pequeñas y elegantes, perfil afilado en una cabeza pequeña y de buena

alidad, con frente ancha y ollares abiertos y grandes.
.a crin y la cola, muy espesas, se dejan crecer hasta
'ue alcanzan una gran longitud.
a impresión que causa la estampa del Fell es de una
ran fuerza, resistencia y calidad, con un aspecto de
nimal muy despierto e inteligente.
us movimientos son vivos y decididos.

El poni Fell heredó las cualidades del Galloway pasando a ser apto tanto para la carga como para trotar al galope con paso ligero.

Actualmente el Fell es solicitado para ambos usos.

FREDERIKSBORGER

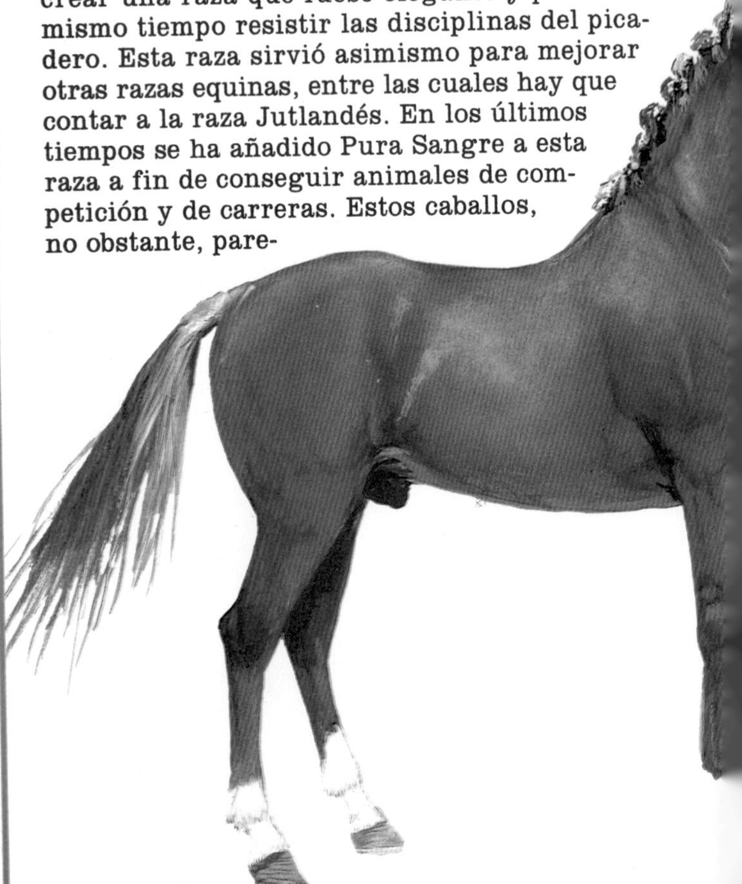

Este caballo fue creado en el haras del rey Federico II en 1562. Los criadores de dicho haras quisieron crear una raza que fuese elegante y pudiera al mismo tiempo resistir las disciplinas del picadero. Esta raza sirvió asimismo para mejorar otras razas equinas, entre las cuales hay que contar a la raza Jutlandés. En los últimos tiempos se ha añadido Pura Sangre a esta raza a fin de conseguir animales de competición y de carreras. Estos caballos, no obstante, parecen hallarse, por varias razones, en vías de extinción.

El Frederiksborger es ante todo un caballo de arnés, de gran nobleza y calidad, provisto de una considerable fuerza. Su cuerpo puede ser alargado y estar algo separado del suelo, aunque la cinchera tiene la profundidad adecuada.

Las articulaciones son de una excelente calidad, y los pies son fuertes y elegantes en su forma, siendo uno de los mejores rasgos de la raza.

La acción de este caballo es directa y elevada, y el trote es su mejor marcha.

La popularidad de esta raza fue su perdición al quedar diezmados sus progenitores debido a tantas exportaciones.

FRISON

El Frisón es ante todo un descendiente del arcaico caballo de los bosques de Europa del Norte, criado principalmente en Frise, al norte de los Países Bajos. Su temperamento calmoso y su prestancia lo convierten en un animal perfecto para el tiro. También se emplea en el circo, a causa de su negro pelaje, de su majestuosidad y su talla impresionante. Antiguamente fue el caballo de guerra de los alemanes, habiendo sido mejorado mediante cruces diversos, especialmente con los caballos andaluces. El Frisón es un caballo justamente apreciado en Holanda y Bélgica.

La cabeza del Frisón es bastante larga y está provista de orejas pequeñas, siempre erguidas, elegantes y características de la docilidad y excelente temperamento de la raza.

La cola, así como la crin, es espesa y abundante, a veces ambas trenzadas o algo onduladas.

El Frisón es un caballo de color siempre negro. Sus cuartos traseros están siempre inclinados y algo bajos, son fuertes y aunque no desproporcionados con el resto del cuerpo.

FURIOSO

Estos caballos destacan por su indiscutible influencia oriental, muy adecuada para servir de montura a la caballería ligera húngara. El Furioso suele lucir una brida tradicional que refleja el influjo asiático de los jinetes húngaros. Sus criadores fueron un antiguo pueblo descendiente de las tribus de los Hunos, que finalmente se estableció en la cuenca de los Cárpatos hace más de mil años. Más adelante, ese pueblo dio los mejores jinetes de la caballería ligera de Hungría.

La cabeza de este caballo es como la de los Pura Sangre, si bien las orejas son más prominentes. Sus ojos son inteligentes y amables, siendo especial el perfil relativamente recto. El pelaje suele ser negro, castaño oscuro o bayo, y ocasionalmente presenta unas manchas blancas.

Las extremidades son excelentes, con articulaciones limpias, grandes y bien perfiladas. Las espaldas y la cruz son sin duda las correspondientes al caballo de silla. Las extremidades traseras son fuertes y los pies, generalmente, son superiores a los de otras razas de sangre caliente.

Su crianza se extiende ahora desde las tierras de Austria hasta las de Polonia.

GELDERLAND

El caballo Gelderland es considerado como un excelente animal de tiro de gran categoría para carruajes, habiendo confirmado esto mediante las pruebas de silla a que ha sido sometido. Al Gelderland le encanta galopar en pleno campo, haciendo gala de una gran libertad de movimientos. Su fortaleza le permite arrastrar también pesados trineos sobre el hielo. Estos ejemplares no faltan nunca en las competiciones de tiro de carruajes, que se celebran anualmente

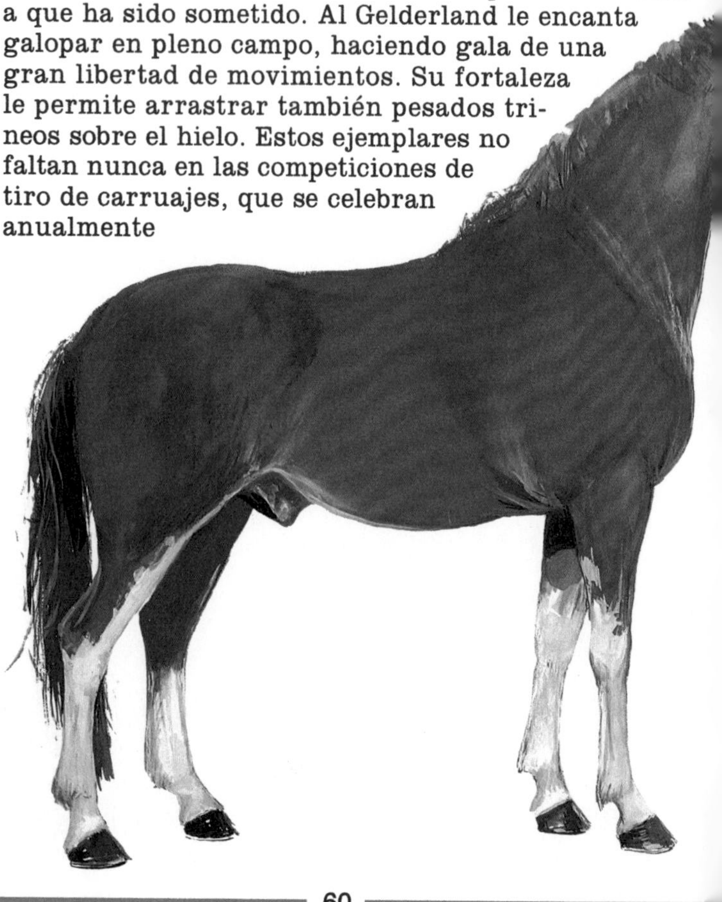

con carácter internacional, obteniendo un premio tras otro.
El Gelderland es un caballo robusto, cuya cabeza es la típica de un caballo de tiro, sin ser hermosa pero sí delicada y sencilla. Su expresión es la de un animal noble y dócil.
El cuello es fuerte y presenta la conformación típica para «carruajes». El Gelderland no es veloz, pero destaca por la calidad de las espaldas, rasgo heredado de unos de sus ascendientes, el sangre Caliente holandés.
Las patas son cortas y muy resistentes, bien proporcionadas al resto de la estructura de este poderoso caballo. El color que predomina es el alazán.

HACK

Estos caballos han de mostrar una acción recta, franca y baja en relación al suelo. Asimismo, ha de presentar cierta tendencia a no bracear ni a elevar demasiado la rodilla. Su trote ha de ser suave, amortiguado, mientras que el galope más bien es lento, reposado, aunque ligero y totalmente equilibrado. Los movimientos de estos caballos se caracterizan por su brillantez especial. Sin embargo, el Hack no emula la disciplinada precisión, ni la exactitud del caballo de doma. En ocasiones, es voluntarioso aunque siempre dentro de un comportamiento básico normal.
El Hack actual se emplea exclusivamente para ser exhibido en pista. Un siglo atrás,

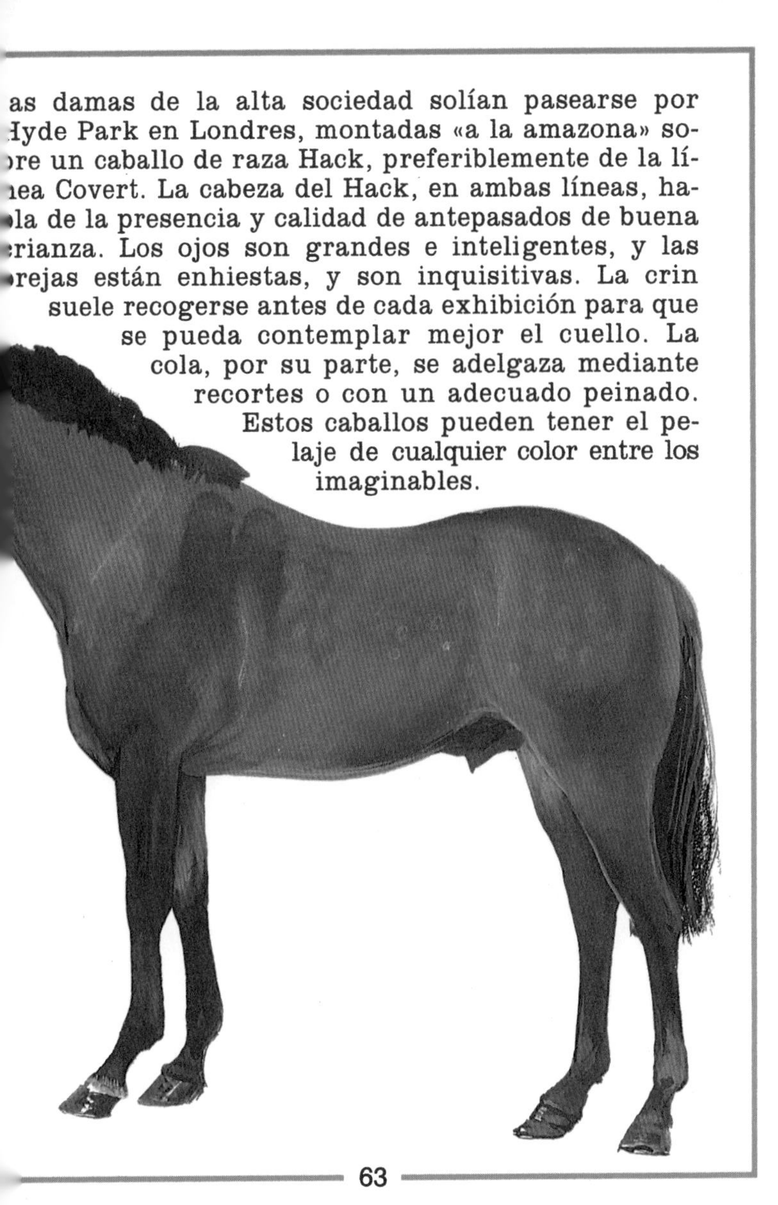

as damas de la alta sociedad solían pasearse por Hyde Park en Londres, montadas «a la amazona» sobre un caballo de raza Hack, preferiblemente de la línea Covert. La cabeza del Hack, en ambas líneas, habla de la presencia y calidad de antepasados de buena crianza. Los ojos son grandes e inteligentes, y las orejas están enhiestas, y son inquisitivas. La crin suele recogerse antes de cada exhibición para que se pueda contemplar mejor el cuello. La cola, por su parte, se adelgaza mediante recortes o con un adecuado peinado. Estos caballos pueden tener el pelaje de cualquier color entre los imaginables.

HAFLINGER

Estos caballos son oriundos del Tirol austríaco, en su parte meridional, cerca de la localidad de Haflinger, en las montañas de Etschlander, aunque la yeguada principal de esta raza se halla en Jenesien. Es un poni hábil para el trabajo en las escarpadas laderas montañosas del país, sirviendo tanto para la silla como para el tiro de carruajes. Hay una versión italiana de este caballo, el Avelignese, a menudo de mayor tamaño que su modelo. El Avelignese se cría en zonas montañosas del centro y sur de Italia.

En la cabeza, no demasiado larga, los ojos son grandes y vivaces, los ollares amplios

y distendidos, y las orejas pequeñas, todo lo cual le da al Haflinger un aspecto despierto e inteligente, como reflejo de su dócil temperamento.

La capa siempre es alazán o palomino, y la cola ostenta unos matices rubios.

El cuerpo en su conjunto ofrece una constitución de poder, con unos lomos especialmente musculosos y fuertes, estando muy bien formados los cuartos traseros. Este caballo posee una gran ligereza, siendo su zancada muy grande y siempre bien sostenida.

HANNOVERIANO

La cría de los caballos de esta raza se inició en el sigl
XVIII con la creación del haras de Celle por el rey inglé
Jorge II, elector también de Hannover. Este caballo,
que posee una ejemplar solidez física, posee un
temperamento calmoso, habiendo estado primitivamente destinado al tiro, si bien al término de la Segunda Guerra Mundial fue
dedicado a las competiciones en las que
siempre ha sobresalido por encima
de otras muchas

razas. Sin embargo, llegar a este fin fue objeto de disciplinas muy rigurosas.
La cabeza del caballo Hannoveriano tiene gran calidad, aunque es un poco pesada y áspera, si bien actualmente, dicha cabeza ha quedado muy perfeccionada, con una silueta expresiva y limpia, y unos ojos vivos e inteligentes.
El cuello es sumamente largo y esbelto, sobre unas espaldas grandes e inclinadas.
La cola siempre está debidamente colocada sobre los cuartos traseros, y a veces la inserción es demasiado alta.
Los ejemplares del Hannoveriano hacen gala de una acción impresionante, enérgica, recta y franca, con una elasticidad muy particular.

HOLSTEIN

Este caballo tenía un aspecto poco alentador en sus comienzos, pero fue mejorando con cruces adicionales con Pura Sangres. Su creación empezó en 1300 en el monasterio de Üter-sen, en la región alemana de Holstein, siendo muy pronto utilizado como montura de guerra por los caba-lleros que lo apreciaban justa-mente por su robustez y su firmeza. En el siglo XVII

se le aportó sangre andaluza, y finalmente, en el siglo XIX obtuvo sangre procedente de los caballos del Yorkshire y de Pura Sangres, con lo que el aspecto general de estos ejemplares ha ido perfeccionándose en gran medida. La cabeza del antiguo Holstein era tosca y pesada, a veces con perfil convexo. Luego, se introdujo sangre de Pura Sangre y esto modeló mejor la cabeza de los ejemplares modernos. Los ojos son grandes y muy expresivos, de un brillo admirable. El pecho es ancho y denota gran poder, mientras que la cola es tupida y cae laciamente. Este caballo puede ostentar toda clase de capas, como el bayo con extremos negros, o el castaño, tal vez el color más difundido entre estos ejemplares. Su cuerpo posee una estructura que proclama gran fuerza y excelente calidad en perfecta combinación.

HUNTER

No se trata de una raza perfectamente definida, puesto que en realidad un Hunter (Cazador en castellano) es todo caballo dedicado a la caza con perros. No sólo en Inglaterra sino en otros muchos países del mundo, ha sido la caza una de las prácticas o deportes más propa-

gadas, tanto por afición como por afán comercial. Por tanto, el buen Hunter ha de ser un animal sano, inteligente y, por encima de todo, dócil, buen colaborador de las jaurías de perros sabuesos y rastreadores de la caza perseguida por el dueño de los perros y el caballo Hunter. El Hunter debe ser un animal bien proporcionado, de estampa elegante, disciplinado, vigoroso y dócil cuando se presenta la ocasión. Ha de ser un caballo equilibrado con marchas simples y cómodas, debiendo ser, al mismo tiempo lo suficientemente veloz para competir con los perros. La cabeza es alargada, con hocico prominente, algo inclinado hacia abajo. Los ojos son muy expresivos e inteligentes. La cola pende abundante y más bien lacia.

ISLANDES

Este caballo, de poca estatura, no es considerado un poni ni por sus propietarios ni por sus criadores. Estos caballos mantienen su pureza primitiva, por no haber recibido aportes de sangre foránea prácticamente desde su creación en los años 900 aproximadamente, cuando los guerreros vikingos pusieron pies en Islandia, hoy día perteneciente a Dinamarca. En esta inmensa isla, estos caballos viven perpetuamente en estado semisalvaje todo el año, hallándose acostumbrados a soportar los extremos rigores de los intensos fríos árticos. La cabeza del Islandés es uno de los principales rasgos distintivos de esta raza, aunque es algo tosca y pesada en proporción con el resto del cuerpo, más bien corto y robusto. La crin y la cola son abundantes y espesas. Las extremidades poseen gran fortaleza, con fuertes corvejones. Resulta interesante conocer las cinco marchas de este caballo, a saber: Fetgangur o paso; brokk o trote; stöck o galope; skeid o paso de andadura; y toolt o paso rápido. El color de la capa es un rasgo muy característico del caballo Islandés, pudiendo ostentar hasta quince combinaciones reconocidas. Es popular el ejemplar alazán con crin y cola lavadas, y hay loberos, tordos, bayos y negros.

JUTLANDES

Procedente de la península de Jutlandia, en Dinamarca, estos caballos se distinguen principalmente por las pobladas cernejas de sus patas, siempre musculosas y dotadas de un gran poder. El caballo Jutlandés es excelente en el tiro, ofreciendo una hermosa estampa, lo mismo que en los enganches, muy populares en concursos y competiciones. Fue el Oppenheim LXII, de la raza Suffolk Punch, el caballo que más influyó en el desarrollo de los caballos de Jutlandia, caballo que fue importado a Dina-

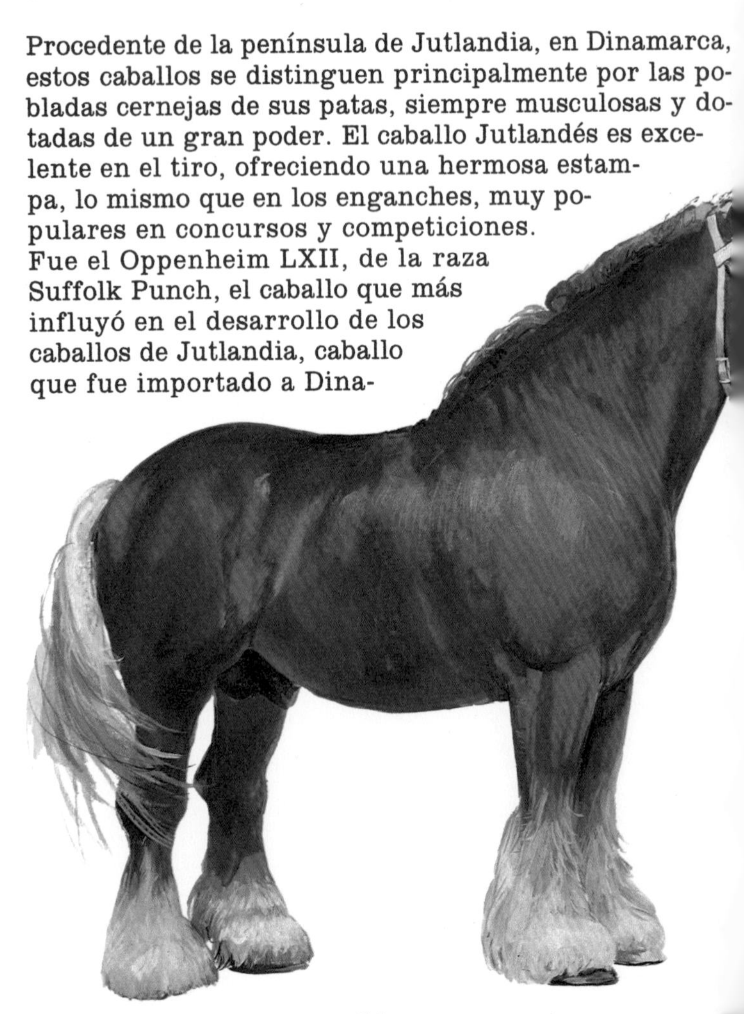

marca en 1860. El Jutlandés es un caballo de una resistencia asombrosa, muy robusto, dócil de manera excepcional, y estas cualidades hacen del mismo un animal adecuado tanto para el tiro como para las labores del campo. La cabeza del Jutlandés no es delicada ni refinada, sino tosca y pesada, seguramente muy parecida todavía a la de su antepasado, el caballo del bosque. El cuello es corto y grueso, y el pecho es muy ancho. Las extremidades son cortas y están cubiertas de abundantes cernejas, que actualmente se intentan eliminar. El pelaje muestra, casi siempre, un color alazán tostado, con extremos más bien claros. Los pies son buenos aunque no tanto como los de otras razas equinas.

KABARDIN

Esta raza se conoce desde el siglo XVI, y es un caballo de montaña que con el paso del tiempo ha ido desarrollando unas cualidades de adaptación al terreno áspero y agreste de su hábitat normal, así como a los rigores del clima. Este es un auténtico caballo de silla, si bien también se puede utilizar como caballo apto para ejecutar trabajos con arnés, pudiendo resistir condiciones laborales de verdadero agobio, con la placidez inherente a su temperamento. Es, pues, un animal inteligente y sumamente dócil.

Es un caballo obediente, de temperamento tranquilo, paciente y muy resistente.

La cabeza es de gran tamaño, recubierta en su totalidad por una capa de piel muy fina. El cuello es de longitud mediana, ni muy corto ni muy largo, bastante musculoso. Las espaldas son casi rectas, ligeramente recargadas, lo que es una gran ventaja en un caballo de montaña como éste. Las patas anteriores forman una de sus características más importantes. Son largas y poseen unos tendones bien definidos, con buenas articulaciones y cañas cortas y fuertes. Entre las orejas, muy erguidas, el copete es sumamente estrecho, marcándose bien la cresta occipital. El paso es regular y rítmico, y el trote y el galope son suaves y ligeros.

KNABSTRUP

Dinamarca fue famosa en tiempos pasados por sus caballos Frederiksborger, criados en los haras de la Real Corte de Dinamarca, lo mismo que por el simpático y atractivo Knabstrup, de manto carbonado. Sin embargo, las dos razas han desaparecido prácticamente respecto a su antigua conformación. Si los primeros Knabstrup eran blancos con manchitas negras o amarronadas, los actuales recuerdan más a los Appaloosa norteamericanos, en oposición a los antiguos, de estructura muy huesuda, y dóciles para su aprendizaje.
La cabeza del Knabstrup rebosa simpatía y refleja la inteligencia de los animales de

esta raza. El pelaje original del Knabstrup era blanco, con manchitas rojizas o negruzcas, extendidas por todo el cuerpo. Sin embargo, hoy día, a causa de los cruces por los que estos caballos han pasado, las manchas pueden ser mayores o menores, o estar más o menos espaciadas.

La crin es bastante rala; las extremidades muestran también las manchas carbonadas, hasta los pies, cuyo casco presenta con frecuencia unas franjas verticales. La línea del dorso, desde la cruz, es característica en los caballos Knabstrup.

Esta raza desciende de una yegua llamada Flaebehoppen, de origen español.

LANDES

El Landés Pottok es oriundo de los montes de Euzkadi y del país vasco francés, que ha mejorado por el cruce con Árabes y sementales de la Sección B de Gales. Existen tres tipos: Estándar, Pío y Doble, de mayor tamaño que los dos primeros. El Pottok es menos fino que el verdadero Landés, aunque es sumamente duro. Estos caballos poseen una cola que se deja crecer hasta alcanzar una longitud notable, llegando en ocasiones a rozar el suelo.

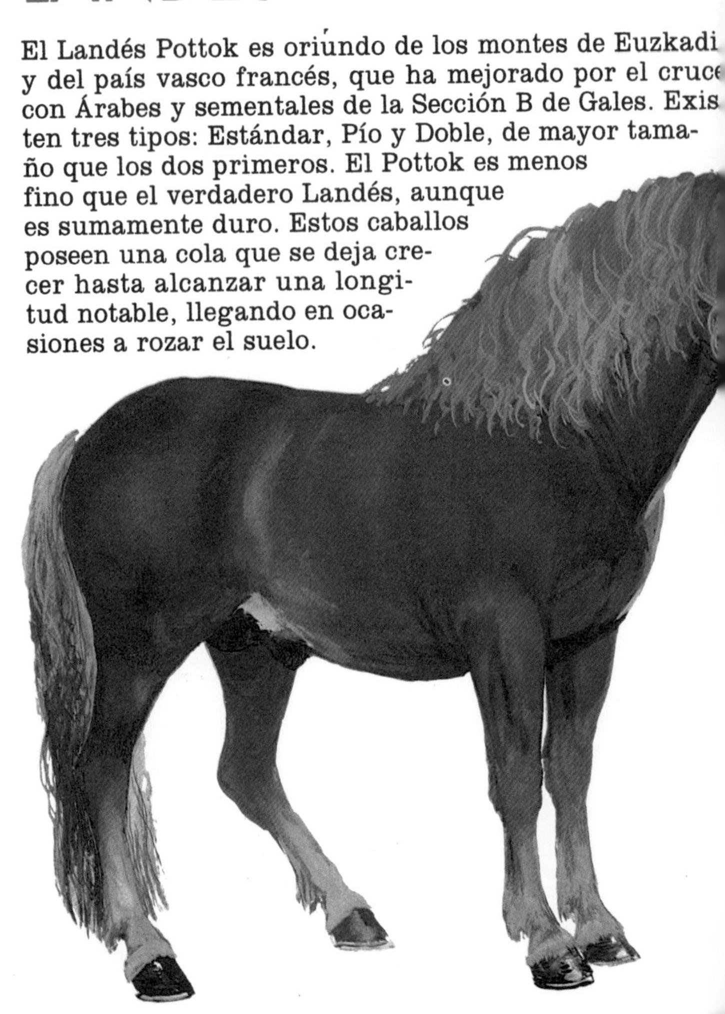

Aunque de origen más moderno, es de esperar que el Landés no tarde en rivalizar con su equivalente inglés.
El Landés tiene una cabeza pequeña, elegante y limpia, lo que ofrece una gran influencia Árabe. Las orejas son cortas y muy puntiagudas, mientras que los ojos, inteligentes, se hallan bastante separados entre sí. El perfil es recto, estando la cabeza unida al cuello limpiamente. El cuello suele ser más bien largo, ensanchándose considerablemente en la base, donde se une a unas espaldas algo recargadas. Las extremidades denotan una extremada ligereza, aunque el codo tiende hacia dentro, lo que restringe la libertad de movimientos. Los pies son duros y están bien formados. El color predominante en esta raza son el bayo oscuro, castaño, negro y alazán.

LIPIZZANO

Aunque al Lipizzano blanco se le asocia habitualmente con la famosa Escuela Española de Equitación de Viena, estos caballos se crían en todo el territorio que antaño constituía el imperio austrohúngaro. Los ejemplares de la Escuela se crían en la yeguada Piber de Austria, próxima a Graz. De este caballo existen diversas variaciones respecto al tipo, no siendo el pequeño Lipizzano de Piber el que predomina en Hungría. En realidad, la yeguada de Piber debe su supervivencia a las tropas norteamericanas que las rescataron del avance ruso a finales de la Segunda Guerra Mundial.
El color de estos caballos suele ser preferentemente el blanco uniforme, aunque en oca-

siones los potros nacen castaños o negros. Puede haber asimismo algún caballo bayo.

La cabeza está muy bien formada, mostrando influencias Árabes, si bien suele ser corriente también un perfil acarnerado, tan propio de los antiguos caballos Españoles. El cuerpo es compacto, musculoso y profundo, y en conjunto, la conformación se inclina a la de un jaco muy versátil y útil. El Lipizzano es un caballo ágil y atlético, con un temperamento calmoso que lo capacita para las disciplinas de escuela.

Las extremidades son cortas pero poderosas. Los cuartos traseros son potentes, y la cola es fina y sedosa.

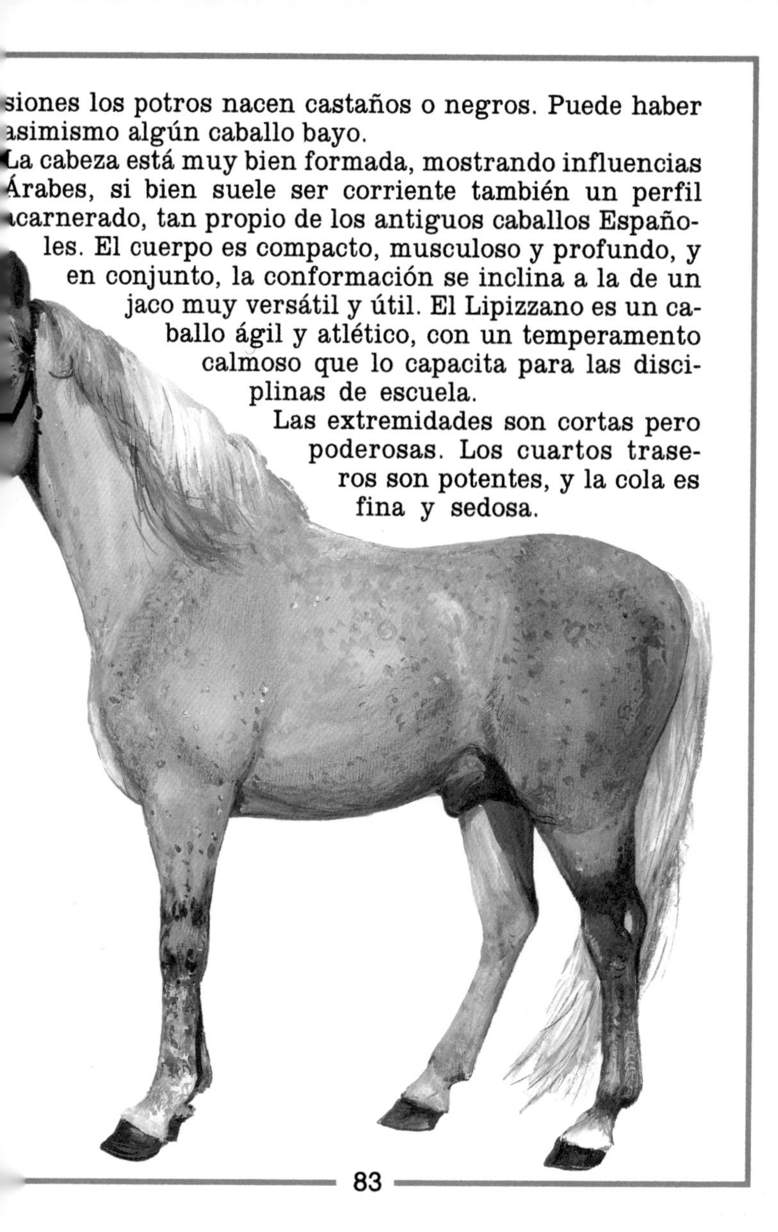

LUSITANO

Por el aspecto general de estos caballos, no existe la menor duda de su ascendencia del Español y probablemente del Árabe, aunque su porte desmienta, realmente, este último extremo. En efecto, el Lusitano es una versión portuguesa del Español, con el que se halla estrechamente emparentado. Sin embargo, una de las diferencias existentes entre el Lusitano y el Español y el Árabe es el mayor espacio libre que queda entre el cuerpo del Lusitano y el suelo. Por otra parte, es un animal inteligente, dócil y muy sensible. Este caballo, por tanto, tiene un estilo sumamente apropiado para la disciplina de la Alta Escuela de Equitación. Su cabeza ha

de ser afilada y pequeña, con mandíbulas y orejas también pequeñas. En conjunto, la cabeza recuerda bastante a la del caballo Español. El cuello se halla afianzado sobre las poderosas espaldas, cosa que contribuye a su agilidad y buen equilibrio. Pese a lo largo del antebrazo, el Lusitano muestra en las extremidades un fallo de conformación que afecta a la longitud de la caña, excesivamente larga.

El Lusitano puede mostrar un pelaje con cualquiera de los colores propios de los caballos, pero preferentemente suele ser tordo.

MORGAN

El caballo de la raza Morgan se utiliza para el salto, el adiestramiento o la caza, indistintamente, y es magnífico en cualquiera de estas tareas. Asimismo, es buen semental para la remonta, y resulta genial en la monta vaquera y de placer, siendo además casi indispensable en las carreras a campo traviesa. El moderno Morgan es sumamente popular en América del Norte en calidad de caballo de exhibición, por su paso elegante y su brío, por cuya razón es uno de los preferidos de los jinetes de aquel país.
El Morgan se emplea para la caza, el adiestramiento, el salto y también para las competiciones con silla o entre varales.

La cabeza del Morgan es de tamaño medio, de forma afilada y silueta elegante. El perfil es cóncavo o recto, pero nunca acarnerado. Tiene un hocico fino, con labios pequeños pero firmes.

Las orejas son regulares y los ojos expresivos y grandes. El cuello tiene la crin bien definida, es de longitud media y muy musculoso, dando aspecto de gran poder.

El Morgan es un caballo valiente, inteligente y fiel, de manejo fácil. El color del pelaje es el bayo, aunque también puede ostentar el negro, el castaño y hasta el alazán.

MURGESE

Esta raza, en su versión moderna, pues de la antigua apenas queda algún rastro, da caballos de tiro preferentemente, aunque en conjunto estos animales carecen de uniformidad, siendo en cambio muy eficaz en los cruces foráneos. Asimismo, se pueden emplear yeguas Murgeses para la producción de mulas fuertes y de gran resistencia, animales que son de excepcional importancia dentro de la agricultura italiana.

Estos caballos, en efecto, son oriundos de Murge, localidad de la región de Puglia, en Italia.
Los actuales caballos Murgeses, que datan de los años 20, no tienen ningún parecido con los fundadores de la raza. El Murgese actual es un caballo de tiro ligero, útil en la agricultura, de cabeza tosca, aunque de expresión honesta y sincera.
Los ojos están situados a ambos lados de la cabeza. Las extremidades son rectas, aunque las rodillas son redondeadas y algo pequeñas. El diámetro de la caña es variable, al tiempo que los cuartos traseros presentan unos rasgos mal definidos, con una cola muy baja. Algunos ejemplares carecen de una buena musculatura en las piernas.
El color es negro, pero también puede ser alazán, de forma muy particular.

MUSTANG

La palabra «mustang» o «mustango», deriva del término español «mesteño», que está relacionado con las manadas de caballos salvajes del Oeste norteamericano. Los Mustangs fueron la montura habitual de los indios pieles rojas, así como de los blancos en las tierras de Estados Unidos, con preferencia a las del continente del Sur de América. Estos caballos fuertes y resistentes han dado origen a numerosas razas norteamericanas, siempre reteniendo los rasgos de los caballos españoles, de manera especial en lo relativo al color.
Este caballo posee una silueta, y un aspecto general, totalmente españoles. Ofrece

una gran sensación de fortaleza, apariencia atlética y equilibrio.

El Mustang posee el clásico perfil español, con un cuello grueso y la abundante crin del moderno Español. El ejemplar moderno es, por tanto, mucho más atractivo que el antiguo Mustang, de los tiempos heroicos, cuya cabeza solía ser demasiado pesada.

Las patas y los pies del Mustang no están herrados, pero son duros y resistentes, pudiendo desplazarse por terrenos abruptos y agrestes sin que se dañen sus cascos.

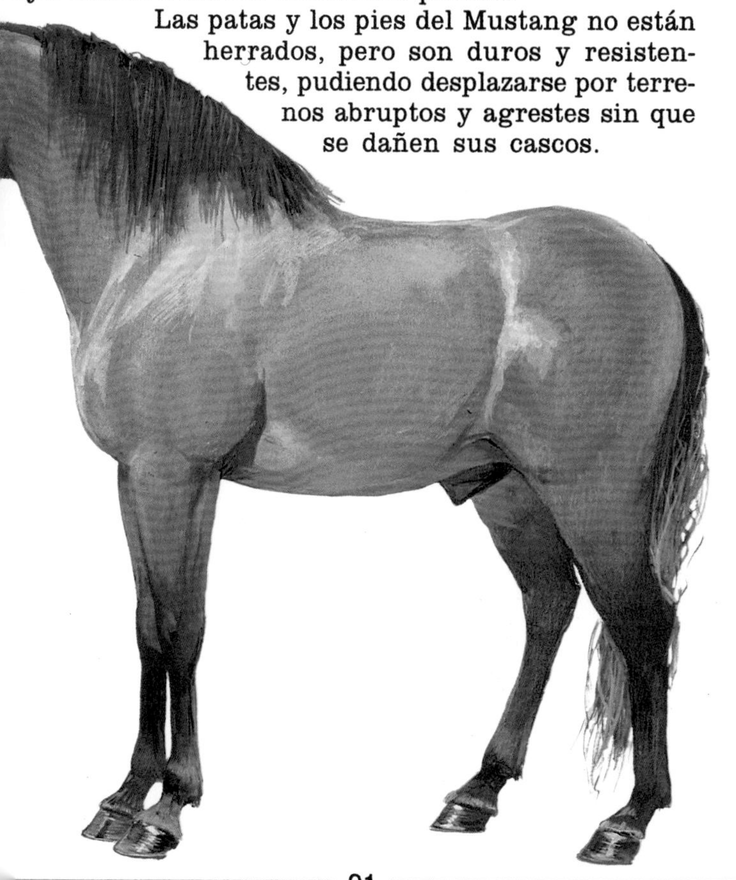

NONIUS

El tipo característico del Nonius se logró gracias a la cuidadosa selección en los cruces. La incorporación del Pura Sangre fue como el catalizador de la raza moderna, al tiempo que corrigió algunos defectos de estructura y conformación. Este caballo es húngaro, debido al esfuerzo que a finales del siglo XIX hicieron sus criadores de ese país por superar los dos millones de ejemplares y poder vender remontas a todas las naciones europeas. El haras del emperador José I, en 1785 llegó a albergar más de doce mil caballos de esta raza.
Fue hacia 1860 cuando se introdujo sangre de Pura Sangre en el Nonius, mejorando de esta manera su calidad y su constitución.

En conjunto, el Nonius es un animal de buena estampa, con una cabeza propia del media sangre, de aspecto calmado y honesto, poseedor de un temperamento equilibrado. Su cuello no es muy largo ni demasiado elegante, pero está bien conformado y se corresponde con la estructura general. El Nonius es un caballo de cuerpo sólido, con las extremidades cortas y fuertes, pies bien formados y gran fuerza en todo su cuerpo. El color que domina en esta raza es el bayo, aunque también algunos ejemplares ostentan el negro y algunos matices de alazán.

PALOMINO

En España, al color palomino se le llama «Isabel» en recuerdo de la reina castiza, Isabel II, que fomentó en gran medida la crianza de caballos con este colorido. Se dice que el nombre Palomino deriva de un caballero español, Juan de Palomino, el cual recibió de manos de Hernán Cortés un caballo perteneciente a esta raza, con este mismo colorido. Existe otra versión, según la cual Palomino deriva su nombre de una variedad de uva blanca española. Sea como sea, lo cierto es que el color es el rasgo distintivo de esta raza equina. La cabeza del Palomino debe tener muy buena calidad. Los ojos han de tener el color de la avellana o bien oscuros. Hay unas manchas blancas limitadas al careto, a la estrella y al cordón. Las extremidades también suelen presentar unas marcas blancas que nunca han de sobrepasar la rodilla o el corvejón. La cola es blanca y densa, sin ninguna raya de mulo en el dorso. El Palomino es un caballo que combina el color con la fluidez de movimientos, por lo que resulta un animal tremendamente atractivo. El mejor cruce para obtener un Palomino de excelente colorido es de alazán con palomino, o alazán con albino.

PASO PERUANO

Paso es, básicamente, una marcha de andadura de cuatro tiempos, en la que las patas delanteras se arquean lateralmente, al estilo de los brazos de un nadador. Las patas traseras ejecutan una zancada larga y muy recta, manteniendo bajos los cuartos traseros, y los corvejones bien desplazados bajo el cuerpo. La marcha presenta tres divisiones muy bien conservadas, lo cual difiere no-

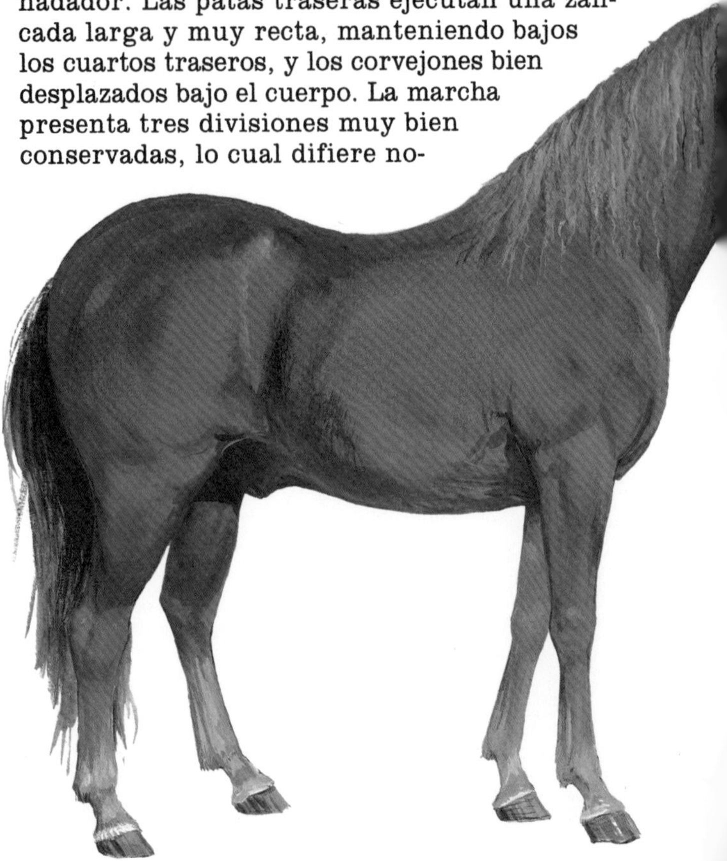

tablemente de los movimientos laterales de otras razas ambladoras. Esta andadura ocasiona una excepcional suavidad de desplazamiento.
El Paso no es un caballo muy grande, ni posee los rasgos del galopador. Su cuerpo es compacto y musculoso, con un cuerpo más bien ancho y profundo. Las extremidades son cortas y fuertes. La cabeza es ancha y plana, con unos ojos brillantes y hondamente expresivos; las mandíbulas y el hocico son finos. El cuello es musculoso y arqueado, relativamente corto pero bien proporcionado con el resto de la estructura, perfectamente equilibrado sobre la cruz y el pecho, que es ancho y profundo. El color predominante es el bayo, aunque también el alazán se ofrece a menudo. Como indica su nombre, es oriundo del Perú.

PERCHERON

Este caballo es un animal elegante, pesado, de extremidades limpias y ágil en sus movimientos. Las líneas de Percherón más influyentes están dominadas por cruces con Árabe, representados por Gallipoly y Godolphin. El Percherón más famoso ha sido sin duda el semental Jean Le Blanc, que nació en 1830. El Percherón moderno es muy poderoso, versátil y resistente. Destaca entre las razas equinas más pesadas por su paso elegante, ágil, bajo y alargado, al mismo tiempo que se halla dotado con unas cualidades físicas excepcionales. A este caballo se le aprecia singularmente por su prestancia. El Percherón ostenta un récord de arrastre, no oficial, de 1.547 kilos. Por tanto, se trata

de un animal excepcional, no solamente por su innegable fuerza sino también por su temperamento complaciente en grado sumo, siempre dispuesto a ejecutar cualquier tarea. También es apropiado por saber adaptarse a todas las condiciones climáticas, por duras que sean. El color predominante es el tordo rodado, o el negro, aunque la Sociedad de Criadores francesa acepta, para esta raza, también los colores alazán, ruano y bayo, que no obstante son mucho menos frecuentes.

PINTO

Los indios americanos, lo mismo que los antiguos jine
tes de la estepa asiática, gustaban del color y de lo
motivos decorativos. No solamente se pintaban ellos
sino que también pintaban a sus caballos. Sin embar
go, los caballos Pintos no necesitaban la aplicación
de color alguno, puesto que sus manchas eran
ya motivos de decoración, e incluso de orgullo para los afortunados poseedores
de tal clase de caba-

llos. En realidad, el Pinto llegó a formar parte del pueblo indio en América del Norte, como un aliciente más del paisaje.
En este caballo, las manchas, salpicaduras del color, líneas o franjas en las patas, sobre fondos de color claro u oscuro, constituyen un sistema natural de camuflaje. En realidad, los primitivos Pintos mostraban coloridos irregulares como defensa contra los animales depredadores. Por su parte los indios americanos pronto se dieron cuenta de las ventajas que ofrecían tales capas. El Pinto, en realidad, posee dos tipos de capa o pelaje: Overo y Tobiano. El primero posee una capa básica de colorido uniforme salpicado con manchas blancas irregulares por todo el cuerpo. El Tobiano tiene una capa básica de color blanco con manchas grandes e irregulares de tono oscuro.

PONI DE LOS FIORDOS

Este caballo destaca por sus condiciones de trabajador incansable, siempre resistente y muy seguro en terrenos difíciles y en medio de duros cambios climáticos. Es un estupendo poni de arnés, que puede arrastrar y transportar toda clase de cargas por los terrenos más abruptos y montañosos. Por otra parte, es un animal de manutención económica, muy voluntarioso, lo que a veces le obliga a querer trabajar por su cuenta.

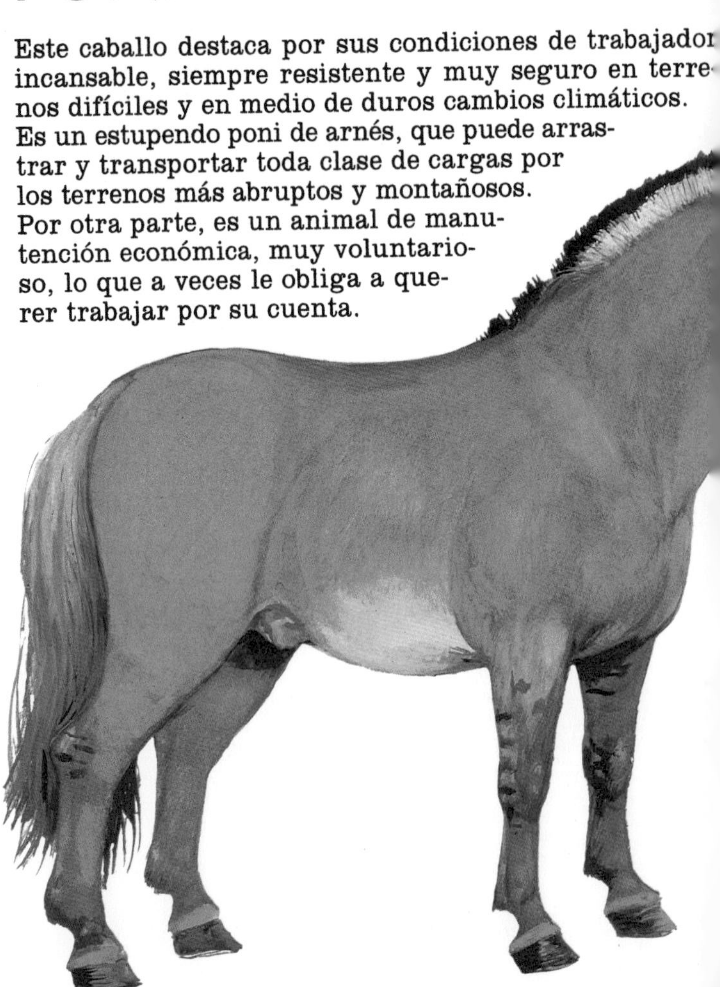

Estos caballos presentan en su pelaje todas las tonalidades del lobero, y en ocasiones el manto está ligeramente cebrado.
Este caballo es sumamente potente, por lo que sirve para desempeñar toda clase de labores, incluso sustituyendo hoy día al tractor en las granjas de montaña. También se le emplea con silla y es insustituible en las distancias largas, que ponen a prueba su valor y su resistencia, siempre con resultados favorables a este animal.
El Poni de los Fiordos posee normalmente una cola espesa, a menudo plateada, aunque a veces resulta demasiado baja. Los cuartos traseros poseen una conformación corta y compacta, y la constitución denota una gran fortaleza. Las patas pueden presentar cernejas pero en pequeña proporción.

PONI GALES

El poni Galés, Sección B, se menciona y describe en el «stand book» como poni de silla dotado de calidad, buen comportamiento en la monta, estructura y robustez adecuadas, resistencia, excelente constitución y carácter de poni típico. Aunque las proporciones del Poni Galés pueden diferir de las correspondientes al Poni de Montaña, de menor tamaño que el Galés, retiene y conserva todavía el carácter brioso, típico de los ponis de su clase y de todas las demás razas del país de Gales.

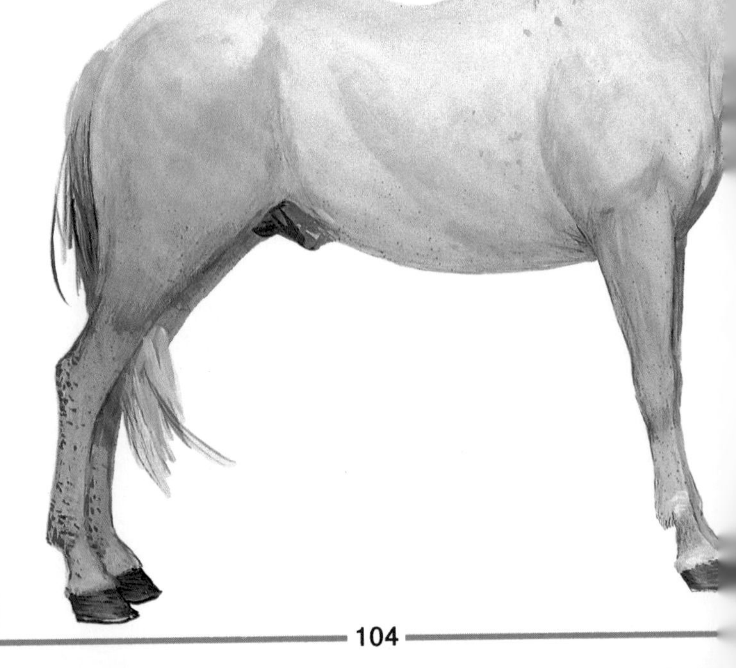

Estos caballos eran empleados antiguamente para transportar a pastores y cazadores. Como ponis de silla son inmejorables en el mundo entero, y casi todos conservan su dureza primitiva y las cualidades típicas del poni.
La acción del Poni Galés es larga y baja en su parte delantera, sin que doble excesivamente las rodillas, lo que le otorga un alcance mayor. En la parte trasera, los corvejones actúan poderosamente en calidad de impulsores.
Este poni es tordo, pero puede ostentar cualquier colorido, sin ninguna restricción. El poni moderno puede parecer que está muy cerca del poni de silla de tipo Pura Sangre, pero no se le puede negar su valor comercial como poni de competición y exhibición.

PONI MONTAÑAS ROCOSAS

Este poni es una muestra del poder innovador y de adaptación del genio norteamericano. El desarrollo de este poni se produjo en un tiempo relativamente breve, hasta el punto de que todavía no ha logrado las características necesarias para que se le considere como una raza aparte. Su registro fue inaugurado en 1986, contando en la actualidad con unos doscientos ejemplares. Estos ponis suelen exhibirse en actitud extendida, aunque esta postura se considera artificial en los países

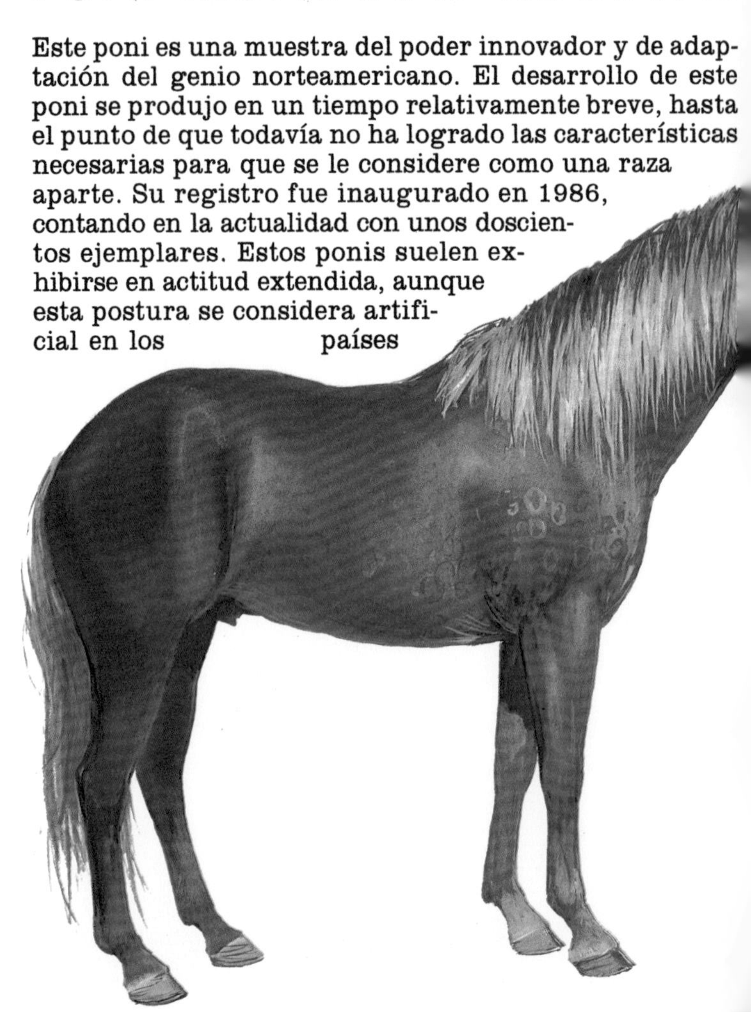

europeos. La marcha habitual del Poni de las Montañas Rocosas es una marcha lateral sencilla y cómoda, y no tanto el trote convencional. Este poni es de tamaño mediano, y tiene una silueta que denuncia su ascendencia española, aunque no haya pruebas que demuestre la existencia de color chocolate entre sus antepasados, pues chocolate es el color normal de estos ponis. Este poni posee un temperamento sumamente apacible y dócil. De todos modos, también da señales de brío, con gran capacidad para desplazarse por terrenos agrestes y dificultosos.

La silueta del Poni de las Montañas Rocosas es elegantemente redondeada, siendo sus proporciones uniformes, excelentes a todo nivel.

PURA SANGRE

Estos caballos son especialmente apreciados en Gran Bretaña, por sus excelentes condiciones como ejemplares de carreras. Numerosas son las razas que son dedicadas a esta clase de competiciones en pista, pero ninguna figura en los hipódromos con tanta regularidad como los auténticos Pura Sangre, que además son los principales ganadores de los primeros premios otorgados en ta-

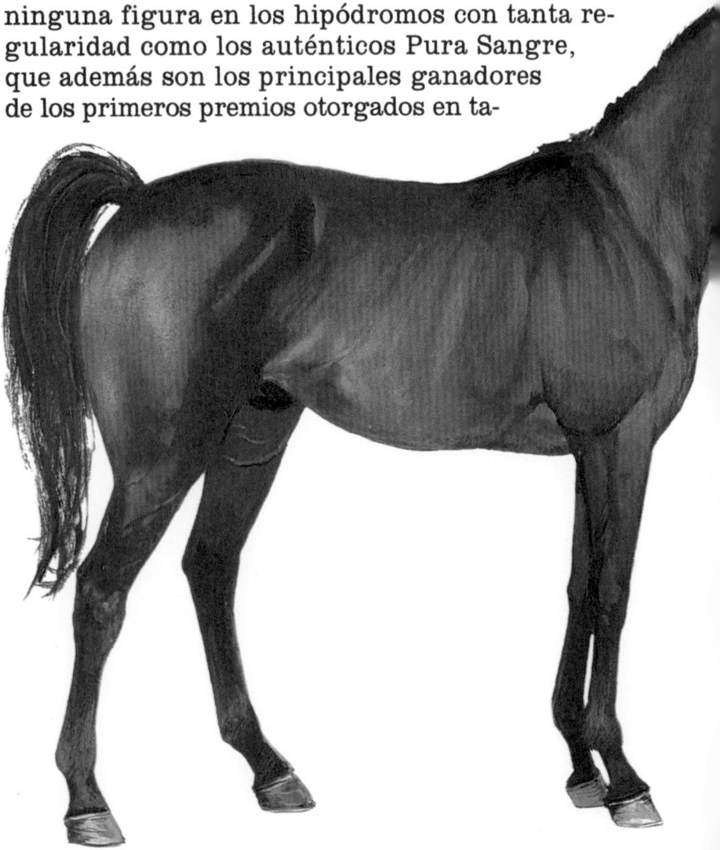

les carreras. En Inglaterra, el primer hipódromo se construyó en Newmarket, estableciéndose ya las primeras reglas y premios de este tan propagado deporte.
El Pura Sangre posee una hermosa cabeza, bien dibujada y de piel fina que deja distinguir la venosidad que la recorre.
El perfil es recto, y los ojos son grandes y muy expresivos.
La acción es larga, uniforme y de gran economía. El Pura Sangre muestra un temperamento de gran energía física y mental, es valiente, sin arredrarse ante la lucha, de modo que es muy nervioso y sensible.
El pelaje se extiende al cuerpo y a su cobertura, y los principales colores son el castaño, el bayo, el alazán, el tordo y el negro.

SHAGYA ARABE

Hasta su destrucción a principios del siglo XX, el vasto imperio austrohúngaro dominó la cría caballar de Europa entera. A finales del siglo XIX contaba con una población que superaba los dos millones de ejemplares, entre los cuales se hallaban los mejores sementales del mundo. La yeguada más antigua de Hungría, Mezöhegyes, fue fundada en 1785, y la de Babolna se fundó en 1789. Estos caballos poseen una silueta inconfundible, recordatorio innegable del Árabe de pura sangre, del que descienden por línea recta. El Shagya constituye el modelo típico de caballo árabe en todos sus aspectos, si bien, por ejemplo, su estructura ósea y su envergadura parecen mayores que las del tipo directo y

moderno Egipcio. Este caballo, por otra parte, es tremendamente práctico, y se aplica a toda clase de usos, tanto con silla como con arnés. La capa que predomina es el tordo, pero pueden darse todos los colores del Árabe, incluso el negro, color sumamente raro entre aquéllos. La acción del Shagya es realmente única. Libre y elástica, es como si el Shagya poseyese amortiguadores en su cuerpo. En el centro originario del Shagya, el haras estatal de Babolna, algunas manadas de yeguas, acompañadas de un semental, corren libremente durante gran parte del día.

SHETLAND

Estos ponis, robustos y dóciles, se crían actualmente en numerosos países de Europa, Estados Unidos y Australia. Recientemente se ha creado una raza americana más delicada, con todas las características inherentes a las mejores razas de ponis. Antiguamente, estos ponis por su fortaleza y resistencia, se empleaban en el transporte de la turba de las landas y para trabajar en las minas de carbón. Hoy día, no obstante, su principal tarea consiste en divertir a la grey infantil en los parques y jardines públicos. El poni Shetland es resistente por naturaleza, y es dueño de

una constitución muy fuerte. Sus movimientos son rápidos y ágiles, teniendo el tercio interior y posterior totalmente rectilíneos.
A causa de haberse desarrollado en terrenos agrestes y abruptos, de carácter rocoso, los Shetland muetran una cierta elevación de las articulaciones de las rodillas y los corvejones.
En las islas Shetland, en Escocia, estos ponis realizaban toda clase de labores, pues a pesar de su corto tamaño, estos ponis se consideraban tal vez los equinos más poderosos del mundo. Pueden trabajar cargados con serones de un peso inaudito, y llevar a un hombre por los terrenos más dificultosos sin mostrar cansancio alguno.

SHIRE

El Shire es tan típicamente inglés como el perro bull-dog. La principal influencia en el desarrollo de esta raza procede del pesado caballo de Flandes. En los siglos XVI y XVII, los contratistas holandeses encargados de desaguar las zonas pantanosas de Inglaterra, llevaron consigo sus poderosos caballos, que cruzaron con la población equina de las islas británicas. Durante el reinado de Carlos II

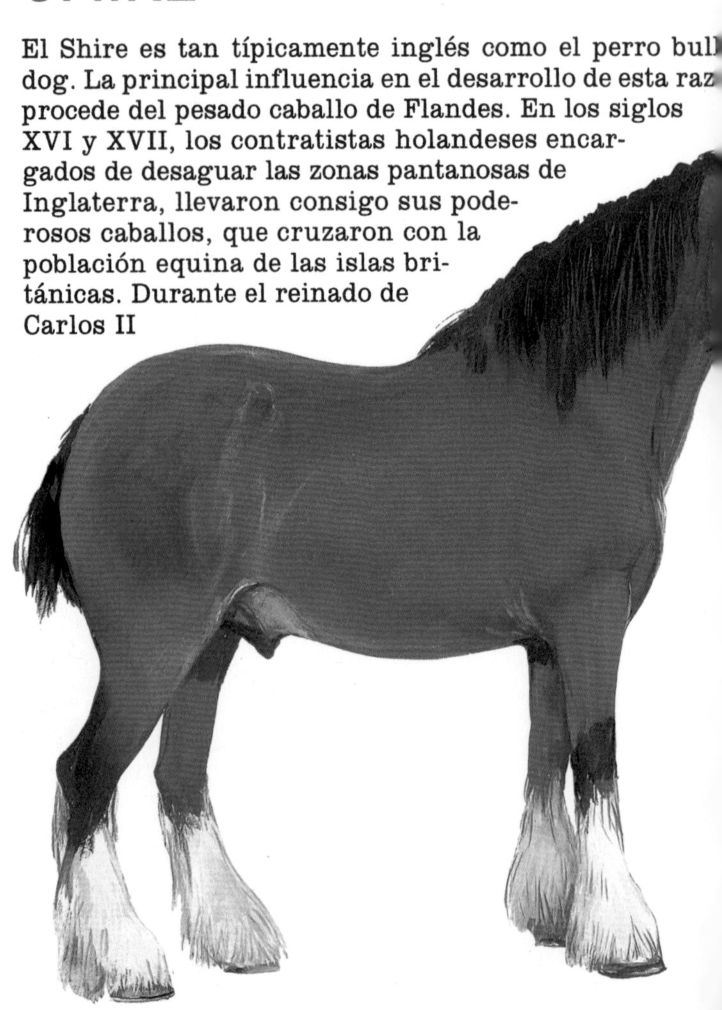

de Inglaterra, la caballería de la Casa Real montaba todavía el antiguo Negro Inglés, nombre con que se conocía al Gran Caballo, y con el que le bautizó Oliver Cromwell durante su breve mandato. El poderoso Shire pesa de 1.016 a 1.220 kilos. Aunque el Shire no desempeña ya un papel preponderante en la agricultura, todavía toma parte en los concursos de arado, y asimismo es posible ver aún a un Shire por las calles arrastrando las pesadas narrias de las destilerías. Precisamente, son las compañías alcoholeras y licoreras las defensoras más acérrimas de esta raza caballar.
El color más corriente de los Shires es el negro tradicional de los antepasados de esta raza con cernejas blancas en las patas. También hay muchos tordos, con algunos de color castaño y bayo.

SILLA AMERICANO

Este caballo, también llamado Saddlebred, efectúa tres marchas: paso, trote y galope, llevadas todas ellas a cabo con una acción elevada y un ritmo lento. Hay un Silla Americano de cinco marchas, que, aparte de las tres mencionadas, ejecuta dos más: la «slow gait», potente marcha en cuatro tiempos, y la «rack», marcha muy viva y brillante, en cuatro tiempos, en la que no es posible que entre ninguna forma de ambladura. En otro orden de cosas, este caballo, en los tiempos antiguos, podía transportar a un hombre durante todo el día, por terrenos escabrosos, sin demostrar cansancio alguno.

Este es un caballo de exhibición, con su cabeza de gran calidad, sus ojos bien separados entre sí, sus orejas pequeñas y siempre erguidas, y su hocico perfectamente dibujado. El cuello es largo, arqueado y carente de carnosidad en la quijada. Está unido a la prominente cruz, dándole un porte especialmente elevado. Los colores del Silla Americano forman una gama muy variada, siendo los más corrientes el bayo y el alazán, aunque también se dan el palomino, el negro y el tordo. El pelaje es sumamente fino y sedoso. Este es un caballo de arnés, de movimientos sueltos, de mucha elegancia.

SILLA FRANCES

Desde 1958, el caballo «sangre caliente» de Francia recibió la denominación de «cheval de selle» o caballo de silla francés. Esta es una de las razas equinas más resistentes y ágiles que se conocen, pero como todas las de «sangre caliente» es más bien una mezcla de razas, aunque ésta en concreto, debe parte de sus características al cruce con trotadores rápidos y de gran resistencia. Uno de los sementales más valederos de la posguerra fue el Pura Sangre Furioso,

adquirido en Inglaterra. En la actualidad, la cabeza de este caballo ha perdido gran parte de su primitiva rusticidad, cosa que se debe a la influencia de Pura Sangres y Árabes. El cuello es largo, elegante y constituye un rasgo típico de esta raza.
Las espaldas están ligeramente inclinadas, mientras que los cuartos traseros son anchos y muy apropiados para las competiciones de salto. El Silla Francés admite cualquier tipo de pelaje o capa, aunque el más común sea el alazán.
El movimiento es activo y de zancada larga, ágil y flexible.
Este caballo está dotado especialmente para el salto, teniendo más brío que otras razas de sangre caliente.

STANDARBRED

Las carreras con arnés son en Norteamérica un deporte seguido con entusiasmo por más de cincuenta millones de individuos. Sea como sea, no hay duda de que el mejor velocista de tales carreras con arnés es el Standardbred norteamericano, muchos de cuyos ejemplares son capaces de recorrer 1,6 km., en 1,55 minutos. La mayor contribución a esas carreras fue la introducción en 1892, del coche ligero Sulky, con neumáticos de bicicleta. Fue Star Pointer el primero que batió la marca de los dos minutos milla cinco años más tarde.
Estos caballos poseen una cabeza robusta, aunque algo tosca y rudimentaria, si bien

de aspecto noble. El cuerpo es más largo y bajo que el Pura Sangre, y su grupa siempre es elevada. Los cuartos traseros son sumamente potentes, a fin de ofrecer el empuje máximo a su marcha. Las patas traseras en general, y los corvejones en particular, poseen una estructura muy correcta, lo que hace que el animal soporte bien sus tareas. El color del pelaje suele ser el bayo, el alazán, el negro y el castaño.

Las extremidades son férreas, con pies excelentes y una gran rectitud de acción, lo que permite que estos ejemplares galopen a gran velocidad sin lastimarse.

SUFFOLK PUNCH

Esta raza dedicada a las tareas de granja puede soportar la fatiga inherente a su trabajo agrícola sin mostrar el menor cansancio en muchas horas. Los feriantes de Suffolk solían atar uno de estos caballos al tronco de un árbol caído. Aunque no era obligatorio que el caballo desplazara al tronco, sí debía arrodillarse hasta adoptar lo que se consideraba la postura típica de arrastre del Suffolk Punch. Aunque de estructura rechoncha, el Suffolk Punch es un ejemplar elegante dentro de su pesadez. Este caballo posee una cabeza bastante grande, con frente especialmente ancha, siendo el perfil recto o algo convexo. Las

orejas son relativamente cortas en proporción con la cabeza. El cuello es profundo y se corresponde exactamente con la posición de las espaldas. En el pelaje hay siete tonalidades reconocidas variando entre el alazán tostado, casi castaño, y el alazán más claro, pálido. Esta raza tiene una perfecta medida de hueso y la potencia de tracción queda ayudada por la baja altura de la espalda.

En las granjas británicas de East Anglia hacían trabajar ocho horas seguidas a estos caballos, con algunos intervalos muy breves.

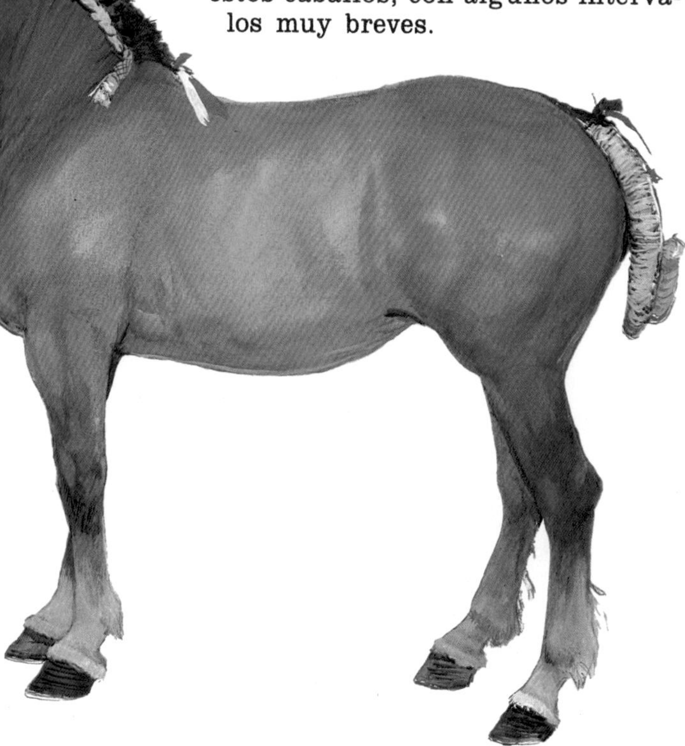

TROTADOR ORLOV

El Trotador Orlov ideal ha de combinar su porte con una constitución ligera y potente con una elegancia general basada en la calidad de las proporciones, debida naturalmente a su estructura ósea. Las patas son finas y rectas, con un perfecto desarrollo muscular. Este trotador se usa en Rusia para las troikas, método de enganche de tres caballos, siendo el del centro el que ha de avanzar al trote ligero, mientras que los de los extremos doblan hacia fuera, obligados por la tensión de las riendas.
Esta raza de trotadores posee cinco tipos básicos; sus diferencias se ven principalmente en la política de cada haras con sus

caballadas. La cabeza del Trotador Orlov es bastante pequeña, y a menudo tiene una apariencia algo tosca, pese a la influencia árabe. La frente es ancha, y las orejas son algo grandes. Los ojos son vivos e inteligentes. El cuello es largo y se halla situado a considerable altura sobre las espaldas, siendo uno de los rasgos más importantes del Orlov. Las extremidades suelen demasiado largas, estando separadas del suelo. Si bien no sea ésta una regla exacta, el diámetro de la caña no debe ser inferior a los 20 cms, de acuerdo a las exigencias oficiales de esta raza.

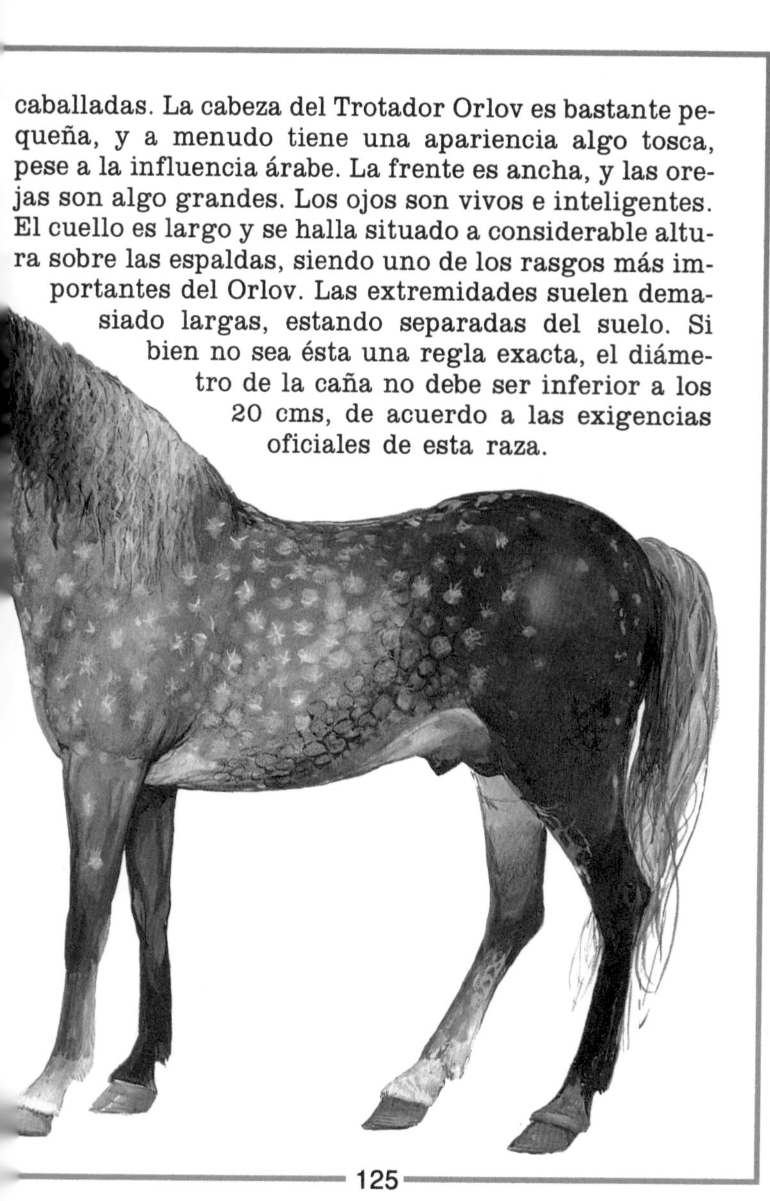

INDICE